PITO

Het geluk getrouwd te zijn

Sergio Pitol

Het geluk getrouwd te zijn

Met een nawoord van de auteur

Vertaling
Arie van der Wal

Cossee
Amsterdam

Voor de vertaling werd een werkbeurs verstrekt door
de Stichting Fonds voor de Letteren

Oorspronkelijke titel *La vida conyugal*

© 1991 Editorial Anagrama

© Nawoord 1999 Sergio Pitol

Nederlandse vertaling © 2003 Arie van der Wal
en Uitgeverij Cossee bv, Amsterdam

Omslagillustratie Antonio Dhongi, 'De vrouw in het café',
Ca' Pesaro, Venetië

Herkomst beeld Archivi Alinari/Bridgeman, Florence

Beeldresearch ckd ku Nijmegen

Boekverzorging Marry van Baar

Foto auteur Isolde Ohlbaum

Druk Hooiberg, Epe

isbn 90 5936 025 7 | nur 302

EEN

Jacqueline Cascorro, de hoofdpersoon van dit verhaal, was een groot deel van haar leven normaal getrouwd en kende de ervaringen van dien: extase, ruzie, ontrouw, crisis en verzoening. Dat veranderde als bij toverslag toen ze op het moment dat ze met haar handen een krabbenpoot brak en achter haar rug een champagnefles hoorde ontkurken, werd overvallen door een denkbeeld dat later regelmatig zou terugkeren en voorgoed een vrouw met slechte gedachten van haar maakte.

Jarenlang had ze bij de verschillende verhuizingen in haar wisselvallige huwelijksleven een blauw schrift meegesleept, zonder dat ze zich nog van het bestaan ervan bewust was; het was een smal schriftje dat met een elastiekje was bevestigd aan een stapeltje notitieboekjes met aantekeningen over literatuur en kunstgeschiedenis; het lag op de bodem van een rijkelijk versierde kist die ze tijdens haar huwelijksreis in Pátzcuaro had aangeschaft. Die kist staat nog altijd in de wijnkelder van L'Aiglon, een restaurant in Cuernavaca waar Jacqueline vrijwel haar gehele huisraad had achtergelaten toen ze besloten had naar Veracruz te verhuizen. Ze had vast vreemd opgekeken als ze de literaire fragmenten zou lezen die ze vele jaren eerder in dat vergeten schrift had overgeschreven. Zonder enige twijfel zou ze met weemoed hebben teruggedacht aan de intellectuele ambitie die het waardevolste en zuiverste deel van haar wezen had gevoed, het enige wat haar een tijdlang een bepaalde zekerheid had geboden, maar die zekerheid was geheel weggevaagd door het geweld dat haar leven zo spectaculair op zijn grondvesten had doen trillen. Want vanaf een bepaald moment was het onmogelijk geweest nog enige illusie te koesteren: haar geestelijke leven lag volledig in puin.

In dat schrift had Jacqueline een tweetal bladzijden gevuld met literaire citaten die enig licht wierpen op wat zij als haar mislukte huwelijk beschouwde; de rest was leeg gebleven. Het was niet moeilijk uit die aantekeningen op te maken dat ze geschreven waren in een vlaag van hevige rancune tijdens een van de eerste crises in haar huwelijk, voordat ze zover was de ontrouw van haar man als iets normaals te accepteren. Alicia Villalba, de onbemiddelde nicht en secretaresse van Nicolás Lobato, en enkele andere medewerksters van haar man hielden haar op de hoogte van de activiteiten van haar ontrouwe echtgenoot. Ze konden urenlang aan de telefoon hangen om te vertellen hoe ordinair de onechte blondine was met wie Nicolás zich in kamer zeventien van hotel Eslavia in de calle de Orizaba had teruggetrokken, en dan voegden ze er nog aan toe: op de tweede verdieping, alsof de verdieping er iets toe deed! In hotel

6

Asunción kwam hij bijna nooit, en zeker niet voor zijn avontuurtjes, misschien omdat hij dat wel erg beneden zijn stand vond. Hoe het ook zij, Jacqueline had al snel nadat ze getrouwd was geleerd niet als een gekooide tijger te gaan zitten lijden, wat overigens in geen geval betekende dat ze het losbandige leven van Nicolás Lobato goedkeurde. Toen ze toevallig een paar bladzijden uit *Physiologie du mariage* van Balzac had gelezen, was ze tot de conclusie gekomen dat de meeste vrouwen na een paar jaar huwelijk alleen nog maar een diepe afkeer van hun echtgenoot hebben, een bijna absolute weerzin, die het logische gevolg is van de tirannie waaraan ze met zoveel willekeur zijn onderworpen.

Het eerste wat ze in het blauwe schrift noteerde was een ferme uitspraak van de Franse schrijver: 'In het huwelijk is het bed alles.' Ze had die zin van drie of vier uitroeptekens voorzien en vervolgens in een vlaag van woede de hele zin doorgestreept, inclusief de toegevoegde uitroeptekens.

Hierna schreef ze met groene inkt dat het leven zich voedt met hartstocht, maar dat geen enkele hartstocht zich in het huwelijk kan handhaven.

Ook schreef ze dat het huwelijk een noodzakelijk instituut is voor de instandhouding van de maatschappij, maar dat dat instituut (en hier had ze tussen haakjes de uitroep *hélas!* ingevoegd) in tegenspraak is met de wetten van de natuur, en verder noteerde ze dat de getrouwde vrouw als een slavin wordt behandeld, dat er geen volkomen gelukkige huwelijken bestaan, dat misdrijven binnen het huwelijk aan de orde van de dag zijn en dat de moorden die bekend worden niet eens de ergste zijn. Deze laatste bewering onderstreepte ze meermalen met verschillende kleuren inkt, alsof ze toen al een voorgevoel had.

Het blauwe schrift waarin ze deze en andere literaire citaten noteerde en dat ze had achtergelaten in een wijnkelder in Cuernavaca, waar ze het nooit meer weg zou halen, was al verscheidene jaren voordat ze naar Veracruz verhuisde uit haar geheugen verdwenen. Nog sneller waren de omstandigheden vervaagd waaronder ze die regels had geschreven. Als iemand haar had gevraagd wanneer en met wie ze haar echtgenoot voor het eerst had bedrogen, zou ze zonder enige aarzeling hebben geantwoord dat haar eerste minnaar Gaspar Rivero was geweest, een ellendeling die ze volkomen belangeloos had geholpen en van wie ze als dank een trap na gekregen had, en dat dit was gebeurd kort voordat hij in het Asunción begon te werken, een onooglijk hotel op een steenworp afstand van het monument voor de revolutie. Geen moment zou ze zich de werkelijke pionier hebben herinnerd, een ingenieur uit Guanajuato die ze op een feest bij Márgara Armengol had leren kennen. Van die hele episode was niets in haar geheugen blijven hangen. Als een arts of hypnotiseur haar in slaap zou hebben gebracht en er een vraag over had gesteld, had ze zich misschien herinnerd dat ze op een gegeven moment op een feest aan een niet meer zo jonge man werd voorgesteld en dat ze hem, louter uit beleefdheid, had uitgenodigd bij haar te komen zitten; toen had ze al een paar flinke cuba libres op en was ze die volledig onbekende man beginnen te vertellen dat een eminent professor in de filosofie kort geleden in datzelfde huis had moeten toegeven dat ze over een fijngevoeligheid beschikte zoals hij die in zijn lange loopbaan nooit eerder was tegengekomen, waarbij hij zelfs zover was gegaan dat hij die als toonbeeld had voorgehouden aan een stel jaloerse snobs die waarschijnlijk alles hadden behalve nu juist fijngevoeligheid, en meteen daarop had ze de man uit Guanajuato uitgelegd hoe hard ze moest vechten om dat uitgelezen talent te behoeden voor de stoten onder de gordel die haar werden toegediend door haar brute echtgenoot, een woesteling wiens interesse voor het leven zich beperkte tot geld en vrouwen.

'Ze mogen nog zo het tegendeel beweren, maar ik ben ervan overtuigd dat niemand ook maar enig vermoeden heeft hoezeer een mens in de loop der jaren kan veranderen,' had ze op vertrouwelijke toon tegen de onbekende gefluisterd. 'Nooit had ik kunnen vermoeden dat de Nicolás Lobato die ik leerde kennen en die daarna mijn man werd – nee, u hoeft zich niet te verontschuldigen, er is geen reden waarom u hem zou moeten kennen, hij heeft zich op geen enkele manier onderscheiden – zo zou worden als hij nu is. We ontmoetten elkaar altijd 's middags in café Mascarones. Kent u dat?'

'Wie?' vroeg de man, die nauwelijks had geluisterd.

'Niemand. Ik heb het over café Mascarones, in de voormalige faculteit der letteren, toen die nog aan de Ribera de San Cosme zat. Een prachtige plek, wij gingen er in onze studententijd vaak naartoe, we

9

voelen ons nog altijd ontheemd. In dat café heb ik
Nicolás Lobato leren kennen. Hij vindt het niet leuk
als ik het vertel, al weet ik niet waarom, want tegen-
woordig houdt hij zich met heel andere dingen bezig
en we hebben geen van beiden onze studie afgemaakt. Nicolás studeerde politicologie. 's Middags
zat hij altijd in een aftandse ruimte in de calle de
Miguel Schultz, direct om de hoek van de faculteit.
Ik heb hem daar vaak afgehaald; het was een bouw-
val van twee verdiepingen, waarvan niemand kon
vermoeden dat het deel uitmaakte van de universiteit. Wat een verschil met mijn faculteit! Een verschil
van hemel en aarde, of van mijn man en ondergete-
kende, als u mij het gebrek aan bescheidenheid wilt
vergeven.' Ze liet een schaterlachje horen. 'Nicolás
kwam bijna elke middag naar Mascarones. Hij volgde colleges geografie en statistiek en nog een ander
college, ik weet niet meer welk, ik denk een taal, het
zal wel Engels zijn geweest. Ik durf te wedden dat hij
zelf niet eens meer weet wat hij toen gestudeerd
heeft. Wat zijn studie betreft was hij altijd slordig en
onsystematisch. De meeste tijd bracht hij in het café
door; zo hebben we elkaar leren kennen. 's Avonds
gingen we met dezelfde tram naar huis. Twee trams,
want je moest eenmaal overstappen omdat er geen
directe verbinding was. Hij stapte uit in Eugenia, in
de wijk Del Valle, en ik ging door tot Coyoacán.
Soms ging Márgara met ons mee. Zo is onze vriendschap ontstaan. We woonden dicht bij elkaar. Ik in
de calle de Berlín, vlak in de buurt van het huis waar
ze nog altijd woont. Ons huis was een prachtig
pand,' zei ze op weemoedige toon. 'We kunnen ons

nooit helemaal losmaken van de muren die onze kindertijd hebben omsloten. Toen ik trouwde is mijn moeder, ze was toen al weduwe en haar dochters waren het huis uit, naar een appartement in de wijk Narvarte verhuisd. Wat moest het arme mens ook alleen in dat enorme huis? Nicolás was enig kind; toen hij klein was verzwikte hij bij het lopen altijd zijn enkels. Volgens Alicia Villalba, zijn nicht, een vrouw die zich als een echte man kleedt, met stropdas en al, verklaart dat detail een groot deel van zijn gedrag. We gingen zo'n halfjaar met elkaar om toen zijn vader ziek werd en Nicolás zich genoodzaakt zag een ijzerwinkel over te nemen in het centrum van de stad, in de calle de Mesones; kort daarna heeft hij die geërfd. Daar heeft hij zich toen aan vastgeklampt om het afbreken van zijn studie te rechtvaardigen, terwijl hij in werkelijkheid al een gloeiende hekel aan het studentenleven had. Hij was smoorverliefd op me, dat moet ik toegeven, we bleven elkaar regelmatig zien, ook al kwam hij niet meer op de faculteit. Ik moet ook toegeven dat hij me nooit oneerbare voorstellen heeft gedaan, zodat ik als maagd voor het altaar heb kunnen verschijnen, iets waarop je je in die tijd, dat kan ik u verzekeren, nog kon laten voorstaan. Toen zijn vader stierf, erfde hij de ijzerwinkel en een flink geldbedrag, en hij begon zich voor de hotelbranche te interesseren. Hij verkocht de ijzerwinkel, en dat was maar goed ook, want hij had er een hekel aan. Hij kreeg eindelijk weer lucht. Hij heeft zich gegarandeerd van duizend-en-een trucjes moeten bedienen om voor een paar peso wat slecht lopende of bijna failliete hotels op te kunnen kopen. Het Asunción was het eerste, een koop waar hij nooit tevreden over is geweest, een armoedig en vervallen hotel, vlak bij het monument voor de revolutie; de dag nadat hij het gekocht had stond het hem al tegen; daarna kocht hij dat in de calle de Orizaba, het Eslavia, dat er veel beter uitzag. Vanaf dat moment heeft hij niets anders in zijn hoofd gehad dan het bouwen van een enorm hotel in Cuernavaca, dat is zijn obsessie, dát en, groter dan welke andere obsessie ook, vrouwen.'

Ze onderbrak haar verhaal even om wat te drinken; toen ze zag dat de man naast haar, die in haar nabijheid gedoemd was te zwijgen, aanstalten maakte om op te staan, legde ze een hand op zijn dij om hem tegen te houden en vervolgde: 'U hoeft niet bang te zijn dat ik u zal vervelen met mijn huwelijksbeslommeringen. Weet u, als er iets in mijn leven is waar ik altijd naar uitkijk, dan zijn het wel de zaterdagavonden bij Márgara. We waren van meet af aan meer dan studiegenoten, we waren net zusjes. Ik ben dol op de sfeer hier in huis. Puur cultuur! In wezen hebben we allemaal wel iets van een bohémien, vindt u niet? Ik voel me hier als een vis in het water. Zoals u hebt kunnen zien, heb ik al het mogelijke gedaan om geestelijk niet af te stompen. Voor een man is het altijd moeilijk te begrijpen wat het voor een vrouw betekent zich te ontwikkelen.' En zonder te bedenken dat ze net nog over het enorme huis had gesproken waar ze haar kindertijd had doorgebracht, zei ze: 'Eigenlijk zou ik het u niet moeten vertellen, maar we waren thuis met vijf kinderen, drie meisjes en twee jongens, en tot het moment dat ik ging trouwen, moesten wij, de drie zussen, één kamer delen, María Dorotea, María del Carmen en ik, in die tijd had ik nog een vreselijke voornaam. Hoe kon ik onder dergelijke omstandigheden lezen? Hoe moest ik me op mijn tentamens voorbereiden? En dat ook nog eens bij een nietig zestigwattlampje! Waar moest ik het geld vandaan halen voor de boeken die ik nodig had? Ik heb gedaan wat ik kon! En nog veel meer, dat durf ik rustig te zeggen. Proost! Zoals ik al zei, het enige waar Nicolás Lobato aan denkt is geld en vrouwen. We waren piepjong toen we trouwden. Eigenlijk was ik op de dag van mijn bruiloft nog een kind. Ik had nooit kunnen vermoeden wat me te wachten stond. Afgezien van Alicia Villalba, die heel, maar dan ook wel héél erg mannelijk is, heeft Nicolás geen van de vrouwen die voor hem werkten ontzien; hij moest ze op zijn minst één keer, vergeef me de uitdrukking, een flinke beurt geven. Hij moet ze behandelen alsof het hoeren zijn, net zoals hij mij graag wil behandelen.' Er kwam een dienblad met drankjes langs; ze nam opnieuw een cuba libre en praatte verder over haar huwelijksperikelen; op een gegeven moment kwam ze tot de ontdekking dat de vent aan wie ze al die intimiteiten had toevertrouwd niet meer naast haar zat, maar met een stel jongens stond te praten die zich vermaakten met het op- en afzetten van een behoorlijk toegetakelde blonde pruik, die ze ten slotte als een helm op háár hoofd plaatsten; ze stelden schaamteloze vragen en lachten om haar verwarring en haar preutse antwoorden; ze vertelden haar schaterlachend weerzinwekkende details over het seksuele leven van een zekere Cuquita – 'het

mokkel met de lekkerste kont van heel Mexico,'
voegden ze er telkens aan toe wanneer ze haar naam
noemden –, die zij niet kende en ook niet wilde leren
kennen, en lieten elke grove opmerking gepaard
gaan met een nieuwe lachbui, wat haar op een bepaald moment dwong op te staan en tegen hen te
schreeuwen dat ze een stelletje snotneuzen waren,
dat ze niet wisten met wie ze de eer hadden te spreken, en dat zij zo vrij was op te merken dat ze, voor
het geval ze het nog niet gemerkt hadden, die avond
te maken hadden met een dame, dat ze... op dat punt
kreeg ze een black-out, ze keek om zich heen, zag
een hele rij gezichten, niet alleen die van de twee
onbeschofte jongens, die haar geamuseerd en vol
verwachting aankeken, en maakte haar zin zo goed
en zo kwaad als het ging af... waarbij ze herhaalde
dat ze, jazeker, te maken hadden met een dame, een
vrouw die in haar leven veel geleden had en alleen al
daarom een speciale behandeling verdiende, niet
zoals haar man die gaf, een Attila in de ruimste zin
van het woord, die er met zijn werkneemsters of met
de eerste de beste hoer vandoor ging om er in het
weekeinde mee te gaan liggen rollebollen... De twee
jongens barstten opnieuw in schaterlachen uit en lieten haar vrijwel eenstemmig weten dat ze zich niet
zo aan moest stellen en op moest houden de marte-
lares uit te hangen. Was haar man na zo'n orgastisch
weekeinde soms minder waard in bed? Vast niet.
Volgens vooraanstaande seksuologen is de mannelijke penis, meer dan die van enige andere diersoort,
iets wat nooit slijt: hoe vaker je hem gebruikt, hoe
beter hij werkt. Ze kwam weer overeind omdat ze het

gevoel had dat ze volstrekt onheus bejegend werd, maar uit respect voor Márgara Armengol kon ze het zich niet veroorloven in haar huis een schandaal te veroorzaken, al had ze dat nu het liefst gedaan. Toen ze het andere vertrek binnenging, zag ze dat er nog maar heel weinig gasten waren. Plotseling stond Márgara naast haar en vroeg of ze zich wel goed voelde en of een van de drankjes misschien slecht gevallen was, verscheidene gasten hadden haar in vertrouwen meegedeeld dat ze zich onwel voelden en ze schreven dit toe aan de slechte kwaliteit van de alcoholische dranken, een weinig fijnzinnige opmerking van de gastvrouw, vond ze, omdat zij, Jacqueline, die avond voor de drank had gezorgd, maar ze was dame genoeg om er niets van te zeggen; daarna vroeg Márgara of het niet beter zou zijn als iemand haar met de auto thuisbracht, of dat ze liever nog even wilde wachten tot het feest afgelopen was, dan kon ze in de studeerkamer blijven slapen. Ze zou haar in elk geval niet alleen naar huis laten gaan, want het was overduidelijk dat ze te veel gedronken had. Op dat moment dook de gast weer op aan wie ze zo openhartig had verteld hoeveel nadelen er kleefden aan een huwelijk met Nicolás Lobato, en op verzoek van Márgara zei de man dat hij haar met alle plezier thuis wilde brengen, hoewel hij haar uiteindelijk meenam naar het appartement van een vriend van hem: hij kwam uit Guanajuato en had geen huis in Mexico-stad. Ze zag de man, wiens naam ze naar het schijnt nooit heeft geweten, daarna nog tweemaal op een feestje bij Márgara, en beide keren gebeurde er na afloop hetzelfde. De laatste keer dat ze in dat appartement waren had de man uit Guanajuato, terwijl ze hem uitvoerig vertelde aan wat voor soort minnaressen haar man de voorkeur gaf, *Physiologie du mariage* van Balzac uit de boekenkast gehaald en haar dat gegeven met de opmerking dat het een cadeau was, iets wat ze net zo weinig fijnzinnig vond als Márgara's opmerking over de drankjes, want tenslotte was het appartement, en daarmee alles wat erin stond, inclusief de boeken, niet zijn eigendom.

Of de man later naar Guanajuato was teruggekeerd wist ze niet, en het kon haar ook niet schelen. En als Jacqueline hem bij een andere gelegenheid nog eens heeft gezien, zal ze hem vrijwel zeker met een aan onbeschoftheid grenzende onverschilligheid hebben gegroet, wat overigens niet wegnam dat ze hem in dat appartement waar ze drie keer de nacht had doorgebracht, gejaagd en zonder onderbrekingen had verteld over die keer dat Alicia Villalba, de nicht en secretaresse van haar man, haar kort na de bruiloft had opgebeld met de mededeling dat Nicolás dat weekeinde niet thuis zou komen omdat hij in Cuernavaca een paar percelen grond moest bekijken die te koop werden aangeboden, en daarbij had ze ook nog opgemerkt dat hij haar verschillende keren tevergeefs had proberen te bereiken, reden waarom hij háár ten slotte had opgedragen haar van zijn vertrek op de hoogte te stellen, en ze had er meteen aan toegevoegd dat Nicolás een nieuwe werkneemster met een eerlijk gezegd ordinaire wortelrode kleurspoeling en paarse kousen, net een goedkope hoer, had uitgenodigd met hem mee te gaan; en vanaf dat moment had zij, die als maagd het huwelijk was ingegaan, geweten dat ze niet de enige vrouw was met wie haar man het bed deelde. Daarom ging ze, wanneer Nicolás weer eens naar Cuernavaca moest, bij wijze van compensatie naar de culturele avondjes in het huis van Márgara Armengol, om over boeken, toneel en film te horen praten, en niet alleen maar over zakelijke aangelegenheden, zoals de laatste tijd bij haar thuis. Ze kon zich later niet meer herinneren hoe de man uit Guanajuato heette of zelfs maar hoe hij eruitzag, zodat ze hem onmogelijk als haar minnaar kon beschouwen; en zelfs toen hij dat wél was en zij, kennelijk trillend van hartstocht, onder hem lag en hij met zijn tong langs haar dijen ging of zachtjes in haar tepels beet, bleef ze vertellen hoe Nicolás Lobato haar geestelijke ontwikkeling had proberen te remmen en haar fijngevoeligheid teniet te doen, zonder daar overigens in geslaagd te zijn, wat vooral te danken was aan haar stimulerende omgang, op die zaterdagavonden, met hoogontwikkelde mensen, en als het aan haar lag zou ze haar hele verdere leven in het gezelschap van Márgara en haar verfijnde vrienden blijven vertoeven, al moest ze toegeven dat de laatste tijd, jammer genoeg, enkele onbeschofte jongeren zich toegang tot haar huis hadden weten te verschaffen; ze misdroegen zich zodra ze een vrouw alleen, zonder mannelijke begeleiding, in het oog kregen. Toen Nicolás haar ten huwelijk had gevraagd, had ze dan ook als voorwaarde gesteld dat ze in Coyoacán gingen wonen zodat zij in Márgara's nabijheid kon blijven, en hij had erin toegestemd, ondanks dat hij, vreemd genoeg, haar vriendin helemaal niet als een mens van vlees en bloed leek te beschouwen, zoals hij dat ook niet had gedaan toen ze nog student waren en ze alledrie met dezelfde tram naar huis moesten.

Sindsdien was Jacqueline een regelrechte ramp geworden. Als ze niet met de benodigde hapjes en drankjes een bijdrage aan de wekelijkse avondjes had geleverd, zou ze niet meer zijn uitgenodigd. Jaren achtereen vertelde ze de vrienden van Márgara Armengol, die haar ten slotte gingen mijden als de pest, wat voor kwelling haar man was en hoe de mannen in het algemeen haar de keel uithingen, sterker nog, hoe het hele leven haar soms de keel uithing, met uitzondering van de literatuur, de schilderkunst, de muziek, het toneel, bloemen, de altijd intelligente gesprekken van Márgara, haar studiegenote, haar buurvrouw, meer zus dan vriendin, en van het selecte clubje mensen met wie zij zich had weten te omringen. Dat was, beweerde ze, terwijl ze haar mollige armen spreidde om haar woorden kracht bij te zetten, de enige wereld waarin ze zich werkelijk thuis voelde, de enige wereld ook waarin ze vrijuit kon ademen. Márgara vroeg een van haar vrienden altijd om bij wijze van gunst een beetje aandacht aan haar te besteden. Af en toe ging Jacqueline een boekwinkel binnen en kocht drie of vier nieuwe boeken. Ze had de grootste moeite ze alleen al door te bladeren, las de flapteksten en maakte zichzelf wijs dat ze op die manier cultureel op de hoogte bleef.

Zo gingen er zes of zeven jaar voorbij. Aan de twee hotels had Nicolás een reisbureau in de calle de Londres toegevoegd, dat een goudmijn bleek te zijn, wat overigens niet betekende dat er in het leven van

Jacqueline ook maar iets veranderde. De echte verandering – en wat voor verandering! – deed zich voor op de dag dat ze bij thuiskomst haar jongere broer Adrián in haar woonkamer aantrof. Adrián was een luiwammes, een grote nul, een klaploper, die naar eigen zeggen de laatste tijd zijn brood verdiende door af en toe een slap artikel te schrijven voor een populaire avondkrant; al sinds zijn puberteit vond ze haar broer een verwaand, bemoeizuchtig en opdringerig heerschap, een in alle opzichten rampzalige combinatie. Koeltjes vroeg ze hem hoe hij het in zijn hoofd haalde om zonder vooraf iets te laten weten in haar huis te verschijnen, en op datzelfde moment merkte ze dat zich in de kamer nog een andere jongeman bevond, vrijwel identiek gekleed als haar broer, in een grijs streepjespak. Ze kwamen allebei meteen overeind. Toch stond Adrián haar minder tegen dan Marcelo, haar oudste broer, die ze met zijn ongure en schijnheilige tronie ronduit afstotend vond. Adrián schreef dan wel louter onbenulligheden, maar ze moest toegeven dat er een wereld van verschil was tussen een journalist en een bouwvakker. Marcelo zag er altijd onmogelijk uit, om maar te zwijgen van zijn vrouw, wier naam ze maar niet kon onthouden. Het enige wat ze hem moest nageven was dat hij nooit rond etenstijd op bezoek kwam en geen klaploper was; hij had haar of Nicolás nooit geld proberen af te troggelen. Sterker nog, hij scheen er geen enkele behoefte aan te hebben bij hen op bezoek te komen.

'Ik weet zeker dat je geen idee hebt wie dit is,' zei Adrián joviaal, terwijl hij op de jongeman wees en

geen acht leek te slaan op de onvriendelijke ont-
vangst. 'Kijk maar eens goed, ik durf te wedden dat
je het niet raadt. Zal ik het zeggen? Ja? Ja? Niemand
minder dan Gaspar Rivero, een van onze neven uit
Orizaba.'

Ze had op het punt gestaan hem flink de mantel
uit te vegen, maar hield zich nu plotseling in. Neef
Gaspar begroette Jacqueline beleefd maar zelfbe-
wust en zei dat ze hem waarschijnlijk niet meer zou
kennen, want toen zij met haar ouders op weg naar
Veracruz in Orizaba langs was gekomen, was hij nog
een dermate verlegen jongetje geweest dat hij meteen toen hij hen zag de kamer uit was gevlucht, uit
angst iets tegen hen te moeten zeggen.

'Ik heb nooit een stem gehoord die me zo in verwarring heeft gebracht,' vertrouwde ze Márgara de
volgende dag toe. 'Denk je dat het mogelijk is ver-
liefd te worden op een stem? Ik had het gevoel dat hij
alleen voor mij bedoeld was. Ik weet niet hoe ik het
moet uitleggen, het enige wat ik kan zeggen is dat
geen enkele stem ooit zoveel emotie bij me heeft losgemaakt.'

'Interesseert hij zich ook voor literatuur?'

'Eerlijk gezegd heb ik niet gelet op wat hij zei.
Afgezien van de eerste zinnen weet ik niet waarover
hij het heeft gehad.'

Toen Márgara haar de plichtmatige vragen stelde,
kon ze niet zeggen of hij fysiek aantrekkelijk was; ze
wist zich amper te herinneren dat hij slank was; over
zijn postuur had ze geen enkele zekerheid; klein was
hij niet, misschien van gemiddelde lengte, opperde
ze, net als haar broer Adrián, wel wist ze nog dat hij

een hoekig gezicht had, een licht pokdalige huid en opvallend uitstekende jukbeenderen, en ook dat hij lange wimpers had, die bijna helemaal over zijn ogen vielen.

In elk geval had ze de vorige dag, de dag van de ontmoeting, toen ze haar neef hoorde praten over zijn verlegenheid en angst voor vreemden, welwillend geglimlacht. Ze wachtte tot Adrián haar een verklaring gaf voor zijn aanwezigheid en die van dat familielid in haar huis. Toen het stil bleef, besloot ze zelf het woord te nemen. Ze verzocht hen te gaan zitten en bood hun iets te drinken aan. Haar man zou zeker binnen een halfuur thuiskomen, zei ze; dan zouden ze meteen gaan eten, omdat hij de laatste tijd snel weer naar het reisbureau moest. In de tussentijd werd Jacqueline op de hoogte gebracht van het doel van het bezoek van haar broer, die ze voor het eerst sinds lange tijd niet meteen weer de deur uitgooide. De verandering in haar houding was zelfs zo groot dat ze beide jongemannen uitnodigde te blijven eten. Adrián legde uit dat hij Gaspar, de vergeten neef uit Orizaba, graag aan Nicolás wilde voorstellen. Gaspar had jaren geleden in Mexico-stad gewoond en een tijdje de school voor toerisme gevolgd, maar hij had zijn opleiding niet afgemaakt; de afgelopen jaren had hij in verschillende hotels in Veracruz gewerkt. Hij was nu sinds een paar weken terug in de hoofdstad en wilde zijn studie graag weer oppakken, maar hij zat zonder werk. En tot wie kon je je in zo'n geval beter wenden dan tot je familie? Gaspar was naar hem op zoek gegaan en had hem uiteindelijk gevonden. Toen Adrián van diens situatie en zijn ervaring in de hotelbranche hoorde, had hij gedacht dat Nicolás misschien wel geïnteresseerd zou zijn in de diensten van iemand die hij volledig kon vertrouwen.

'Als je man naar íemand luistert, dan is het naar jou, María Magdalena,' merkte Adrián op.

'Jacqueline, ik heet Jacqueline, ook al heb je moeite met de uitspraak!' antwoordde ze bits. En in het daaropvolgende halfuur van grote verwarring voelde ze zich verplicht naar haar moeder te informeren, die ze al tijden niet meer had gezien, hoewel ze als goede dochter de chauffeur elke maand een cheque liet brengen, en toen naar haar broer Marcelo, haar zussen, zwagers, neven en nichten; en om te laten blijken dat ze geïnteresseerd in hem was, vroeg ze haar neef hoe het met zíjn familie ging, die ze zich totaal niet herinnerde. Adrián was verbaasd over de onverwachte menselijkheid die hij in zijn zus zag opbloeien. En onder invloed van die uitbarsting van positieve gevoelens bekende hij dat hij van de gelegenheid gebruik wilde maken zijn zwager een lening te vragen, geen buitensporig bedrag overigens, maar genoeg om een aantal dringende schulden af te lossen. Hij vroeg in geen geval om een schenking, dat wilde hij vooropstellen. Hij zou wel een manier vinden om hem terug te betalen met wat gratis publiciteit voor zijn hotels en zijn reisbureau in de krant waarvoor hij schreef.

'Als je jouw man op de juiste manier benadert, kan hij buitengewoon royaal zijn,' vervolgde hij. 'Jij bent steeds de sta-in-de-weg geweest. Als je Nicolás iets vraagt, geeft hij altijd hetzelfde antwoord: Overleg eerst maar met mijn vrouw, dan worden we het daarna wel eens over de details! En daar blijft het dan meestal bij!'

Ze was verbluft dat haar broer het lef had zo openhartig tegen haar te spreken. Een uur later zaten ze aan tafel. Nicolás was in die dagen steeds in een opperbeste stemming. Hij had zojuist een groot stuk grond in de omgeving van Cuernavaca aangekocht, begroeid met palmen; maandenlang was hij ermee bezig geweest, hij had allerlei ingewikkelde juridische problemen over de eigendomsrechten moeten oplossen, maar nu was het palmbos dan eindelijk van hem. Hij was van plan er een toeristisch centrum te bouwen dat in de hele regio zijn weerga niet zou kennen. Het eten verliep in een ontspannen sfeer. Jacqueline bekeek zichzelf heimelijk in de spiegel van het dressoir. Gelukkig was ze de vorige dag naar de schoonheidsspecialiste geweest! Misschien wel een voorgevoel! Zou het waar zijn wat de kapster over haar haar had gezegd? Dat het steeds dunner werd? Ze geloofde er niets van. Die vrouw vergiste zich, gewend als ze was aan het stugge haar van de meeste Mexicaanse vrouwen, dat van haar was veel fijner, engelenhaar, zei haar vader altijd toen ze klein was. Maar ze had het in elk geval goed gekapt. Ze was zich bewust van de steelse blikken waarmee haar neef haar opnam. Ze vond wel dat ze zich misschien een tijdje aan een licht dieet moest onderwerpen. Met weerzin keek ze naar haar korte hals, die dikker was dan ze zou wensen; haar gezicht, breed als van een Romeinse keizer, zou er veel beter uitzien als het over het geheel wat smaller was. Ze moest wat meer aan lichaamsbeweging doen, dit keer zou ze gedisciplineerder zijn en het echt volhouden. Ja, ja, ja! zei ze bij zichzelf, zonder al te veel zelfvertrouwen; maar haar glinsterende ogen, haar fijne strakke huid en haar stralende glimlach compenseerden ruimschoots haar gebreken. Ze was ervan overtuigd dat ze zich kon meten met de vrouwen die haar neef in Orizaba had leren kennen en zelfs met die uit Veracruz. Ook haar gewicht vormde geen reden tot wanhoop. Morgen zou ze met haar oefeningen beginnen. Enthousiast mengde ze zich in het gesprek en praatte over de wijze waarop ze naar buiten zou treden als koningin van het hotelimperium dat zijn zetel in Cuernavaca zou hebben. Haar grappige ingeving werd met geestdrift begroet. Nicolás Lobato verbaasde zich over haar opgewekte stemming, waaraan het in zijn huis zo lang had ontbroken, en hij bedacht dat hij wat vaker familieleden van zijn vrouw moest uitnodigen om van haar verjonging te kunnen genieten en de geprikkelde, verkrampte en klagerige toon waarop ze anders praatte te vergeten.

Alsof ze de gedachten van haar man had geraden, verviel Jacqueline plotseling, na een laatste vlaag van euforie, in somberheid. Ze liet haar blik over de streepjespakken van Adrián en haar neef gaan, monsterde de goedkope stof en de weinig elegante snit, naar alle waarschijnlijkheid gekocht in een derderangswinkel, en vergeleek die met het schitterende kasjmier en de perfecte snit van de pakken van haar man. Ze dacht terug aan haar kinderjaren, aan het leven in een smalle steeg in Coyoacán, in een huizenblok dat weinig verschilde van een huurkazerne, een straatje met tien piepkleine woningen aan elke kant, de dagelijkse troosteloosheid; ze dacht aan haar moeder, die tandarts was en een handjevol patiënten behandelde in een armoedige praktijkruimte, omdat ze nooit het geld had gehad om de benodigde apparatuur aan te schaffen; en ze dacht aan het longemfyseem van haar vader, een onbeduidend ambtenaartje op het ministerie van Onderwijs, wiens ziekte steeds kwellender was geworden en ten slotte, de laatste maanden voor zijn dood, ondraaglijk; een leven op de rand van de armoede, één enkel kamertje voor haar, María Dorotea en María del Carmen, cosmetica delen, gebrek aan nylonkousen, aan winterkleren en aan zoveel andere dingen, niet in het minst aan levensmiddelen, en ze had graag even willen huilen. De gedachte dat ze aan die hel was ontsnapt, vervulde haar met trots; tegen alle denkbare weerstand in had ze het besluit genomen zich in te schrijven aan de universiteit en voor haar huwelijk de gehate naam María Magdalena Cascorro, waarmee ze gedoopt was, te veranderen in Jacqueline, een naam die haar meer zelfvertrouwen gaf en als compensatie diende voor alle ellende die ze had moeten ondergaan. Haar achternaam had ze niet veranderd, omdat ze daarmee haar ouders zou hebben gekwetst, maar ze was hem wel op zijn Frans gaan uitspreken: Cascorró. Jacqueline Cascorró! Door die herinnering aan oud zeer begon ze meer sympathie te voelen voor de jongeman die zo plotseling in haar leven was verschenen en die, daar twijfelde ze geen moment aan, een bestaan moest hebben gekend dat vergelijkbaar was met het hare en dat hij koste wat het kost achter zich wilde laten. Ze keek weer in de spiegel en zag de diepe sporen van verslagenheid op haar gezicht, dat kwam vast door die golf van onaangename herinneringen; ze observeerde de drie mannen, die in een geanimeerd gesprek gewikkeld waren, en ze kwam op de gedachte dat die pas opgedoken neef misschien de enige was die haar gemoedsgesteldheid kon begrijpen en haar fijngevoeligheid naar waarde wist te schatten, en ze besloot hem te helpen. Zodra de koffie geserveerd werd, zou ze tot de aanval overgaan. Ze zou veranderen in een vlammende engel, een woeste leeuwin en een vrijgevige prinses. Gaspar zou werk krijgen, misschien het beheer over een van de hotels of een baan op het reisbureau, wat dan ook, zolang het maar niets te maken had met het nieuwe toeristische project in Cuernavaca.

Ze was verrast over haar eigen vermetele gedachten.

Zoals ze al vermoed had, kostte het haar weinig moeite haar man over te halen Gaspar in dienst te nemen, en tussen neef en nicht ontstond een vertrouwelijke band. Voor Jacqueline werd het leven intenser en kleurrijker, haar huwelijk bloeide op. Ze ging nu minder vaak naar Márgara Armengol, en de schaarse keren dat ze op de feestavondjes verscheen viel ze de aanwezigen niet lastig met het afgezaagde verhaal over een teer bloempje dat door de laars van een wrede, onbeheerste en tirannieke echtgenoot werd vertrapt.

Alles ging goed tot het moment waarop ze, terwijl ze een krabbenpoot brak en achter haar rug een fles champagne hoorde ontkurken, een denkbeeld toeliet dat volledig bezit van haar nam. Het was alsof ze getroffen werd door een bliksemflits die haar laadde met energie: haar ogen begonnen te glinsteren, haar handen beefden, haar hart ging als een gek tekeer. En het was dat denkbeeld dat de rest van haar leven regelmatig zou terugkeren en haar voorgoed veranderde in een vrouw met slechte, nee, met boosaardige gedachten.

TWEE

Nicolás Lobato liet verscheidene dagen voorbijgaan voordat hij besloot welke functie hij de neef van zijn vrouw zou geven. Waar hij hem in feite het meest nodig had was op het pas aangekochte stuk grond bij Cuernavaca. Daar kon hij iemand gebruiken die toezicht hield op de bouwwerkzaamheden die binnenkort zouden beginnen, het ambitieuze project dat hij Las Palmas zou noemen: hotel, zwembaden, bungalows, paardenstallen, tennisbanen en een golfbaan. Over een paar weken zou het terrein bouwrijp gemaakt zijn en kon met de bouw worden begonnen. Hij zou zich tot aan zijn nek in de schulden moeten steken, maar dat kon hem niet schelen, als alles liep zoals hij voorzien had, zou hij zich binnen drie of vier jaar kunnen beroemen op het bezit van een van de meest exclusieve toeristische centra van het land. Jacqueline verzette zich tegen de verbanning van haar neef. De geplande werkzaamheden waren veel te omvangrijk, zei ze; ze zouden alles wat ze bezaten moeten belenen om de start, de voortgang en de afronding van zo'n kostbare onderneming te kunnen financieren en intussen nog enigszins onbezorgd te kunnen leven, totdat Las Palmas winst zou opleveren. Waarom gaf hij Gaspar geen functie in dat vreselijke Asunción? Misschien kon hij er de bedrijfsvoering, die hij vanaf het eerste moment had gewantrouwd, op orde brengen. Hij kon de gangen nagaan van de bedrijfsleider die altijd al zo'n slechte indruk op hem had gemaakt. Voor Las Palmas kon hij beter iemand uit Cuernavaca nemen die de omstandigheden en de arbeiders daar kende. Deze zeker niet ongefundeerde argumenten bezorgden Gaspar voorlopig een baan als restaurantmanager van hotel Asunción, met de opdracht zo scherp mogelijk toezicht te houden op het beheer en de bedrijfsvoering van het hotel.

Maar het wordt tijd om terug te keren naar het denkbeeld dat Jacqueline zo in verwarring heeft gebracht en waarop in het eerste hoofdstuk al werd gedoeld. Die slechte gedachten kwamen acuut bij haar op tijdens de viering van haar zevenjarige huwelijk op 23 april 1960. Ze was toen bijna dertig jaar oud. Het feest werd gehouden in een landelijk gelegen restaurant in Tlalpan. Er waren zo'n tweehonderd gasten. Jacqueline werd zich bewust van de verandering die zich in het leven van haar man aan het voltrekken was op het moment dat Alicia Villalba haar de lijst met genodigden voor de receptie liet zien: politici, bankiers, hotel- en restauranteigenaren, mensen uit de society en ook enkele beroemdheden uit de filmwereld om de feestelijkheden een wat minder plechtig karakter te geven. Alles verliep perfect. Jacqueline was onder de indruk van de natuurlijkheid en ongedwongenheid waarmee haar man met mensen omging die zij alleen van de roddelrubrieken in de kranten kende. Nicolás gedroeg zich alsof hij bij hen op school had gezeten en altijd contact was blijven houden. Een schouderklopje hier, een kus op de wang van de vrouwen daar, een glimlach voor iedereen. Ondanks alles kon ze alleen maar bewondering koesteren voor zijn stralend witte gebit en de volle snor die hij de afgelopen maanden had laten staan. Het was wel duidelijk dat Nicolás niet zijn zoveelste trouwdag vierde, maar zijn toetreding tot de hogere sociale kringen, waarvan hij zich had voorgenomen deel uit te maken om het project van Las Palmas van de grond te krijgen. Ze werd overmand door gemengde gevoelens: aan de ene kant trots dat die briljante man haar echtgenoot was en de zekerheid dat zijn ondernemingen altijd met succes bekroond werden; aan de andere kant een onmiskenbare wrok omdat hij haar niet tot zijn nieuwe, glansrijke leven had toegelaten, waarbij ze zichzelf voorhield, alsof ze toch nog enige genoegdoening wenste, dat zijn bestaan hol en vals was, louter façade, in geen geval vergelijkbaar met het intense leven vol emoties dat zij heimelijk leidde, noch met de intellectuele prikkels die ze in het verleden in de vriendenkring van Márgara Armengol had gekregen. Om elk moment van zwakte tegenover de nieuwe levensstijl van Nicolás te vermijden, moest ze er steeds aan denken dat juist hij de vijand was tegen wie ze zich moest verdedigen, die ze moest bedwingen. Ze stelde vast dat de groep van Márgara en haar vrienden in deze omgeving absoluut niet uit de toon viel; aan hun tafeltje was hoogstens een licht over-

dreven maar niet onelegante neiging tot excentrici-
teit te bespeuren, een contrast dat zich goed verdroeg
met de rest van de aanwezigen. Maar het verschil
tussen de twee tafels achter in de tuin, direct naast
de ingang van de keuken, en de rest van de genodigden kon niet schrijnender zijn. Aan de ene tafel
zaten haar moeder – die er bij wijze van gunst in had
toegestemd aanwezig te zijn –, María Dorotea, María
del Carmen, hun echtgenoten en haar broer Adrián;
Marcelo had ze bewust geen uitnodiging gestuurd.
Midden in die groep zat Gaspar Rivero, die zich vast
dood verveelde. Was de kleding van haar zwagers al
niet om aan te zien, de uitdossing van haar zussen
tartte elke beschrijving. Zwart satijnen jurken tot op
de enkels, opbollend als ballonnen, groene kanten
manchetten en kragen, korte, eveneens zwarte jasjes
overladen met groene sieraden van bedenkelijke
kwaliteit, satijnen hoeden, waarschijnlijk gehuurd,
met flesgroene namaakveren die aan een kant over
hun gezicht vielen; zo zagen ze eruit. De aanwezigheid van haar neef midden in dat bespottelijke gezelschap oefende op Jacqueline zo'n onweerstaanbare
aantrekkingskracht uit dat ze haar blik telkens niet
langer dan vijf minuten van de tafel kon losmaken.
Als ze die kant opkeek zag ze in feite alleen Gaspar
Rivero. In haar ogen maakten haar zussen, haar zwagers, haar broer Adrián en zelfs haar arme, geliefde
moeder deel uit van een luidruchtige en buitengewoon kleurrijke diersoort die nog het meest deed
denken aan een zwerm bonte papegaaien. Aan het
andere tafeltje zaten de naaste medewerkers van
Nicolás. Hoewel ze in een opvallend mannelijk pak

gekleed ging, was Alicia Villalba het toppunt van elegantie vergeleken met het zootje ongeregeld, dat niet het vermogen bezat om zich onder de andere gasten te mengen en met hen van gedachten te wisselen.

Op een gegeven moment was ze weer in staat om te reageren. Ze moest haar blik losrukken van haar neef om zich met hetzelfde gemak als haar man van de ene groep personen naar de andere te kunnen bewegen. Ze zag zichzelf als een vlotte vrouw, beminnelijk en goed van de tongriem gesneden, en ze was zich ervan bewust dat de zaterdagavonden bij Márgara Armengol een uitstekende leerschool waren geweest. Ze liep links en rechts groetend de tuin door om zich bij haar man te voegen. In het voorbijgaan merkte ze dat sommige vrouwen bij het beantwoorden van haar groet een ironische glimlach niet konden onderdrukken. Jacqueline liet zich er niet door van de wijs brengen. Dat betekende alleen maar, zoals Márgara haar meer dan eens had uitgelegd, dat ze een eigen persoonlijkheid had en zich niet onderwierp aan de eerste de beste modegril, dat ze iemand was die ervan genoot zich te kleden en niet te uniformeren zoals de meeste vrouwen, iets wat deze haar niet zo gemakkelijke vergaven. Een paar dagen eerder had Alicia Villalba, toen ze de uitnodigingen voor haar vrienden kwam brengen, heel terloops, alsof het nauwelijks van belang was, opgemerkt dat Nicolás iemand zocht, een soort raadgever in goede omgangsvormen misschien, die haar zou kunnen adviseren over de beste manier zich in het openbaar te vertonen. Bij de herinnering aan dat absurde idee barstte ze bijna in schaterlachen uit, maar toen ze zichzelf plotseling van top tot teen in een spiegel zag, moest ze vaststellen dat het misschien toch wat al te gewaagd was geweest die dag de schoenen van doorzichtig plastic met fosforescerende hak aan te trekken. Die verrukkelijke dingetjes, stelde ze nuchter vast, waren vermoedelijk wat al te extravagant voor de doorgaans oerconservatieve Mexicaanse society.

Toen de laatste gasten vertrokken waren, begaf het groepje intimi dat aan de tafeltjes bij de keukendeur had gezeten, dat wil zeggen de familie en het personeel, zich naar het huis van de Lobato's, waar Jacqueline voordat ze wegging een paar flessen champagne koud had laten zetten en opdracht had gegeven enkele schalen met broodjes en hapjes klaar te maken. Alicia Villalba bood aan om Jacquelines moeder naar haar appartement in de wijk Navarte te brengen. De anderen verlieten onder hoerageroep voor de Lobato's gezamenlijk het restaurant, klaar om te genieten van het tweede deel van de feestelijkheden. Jacquelines familieleden waren een zwaar kruis voor haar geworden. Woorden schoten tekort om uit te drukken wat voor opoffering het voor haar betekende die luidruchtige en bonte meute overal mee naartoe te slepen! Ze was bang dat haar zenuwen niet langer tegen de kwelling bestand waren en haar op het meest onverwachte moment een hysterische aanval zouden bezorgen. Ze deed haar uiterste best het niet zover te laten komen. De insinuerende en grove opmerkingen van dat stelletje hongerlijders, die er het grootste plezier in hadden haar luidkeels María Magdalena te noemen zonder zich van de aanwezigheid van anderen iets aan te trekken, het voortdurende gebedel om geld van Adrián en haar zussen, de vrijpostigheden, het wangedrag, dat alles verdroeg ze alleen maar om haar relatie met Gaspar Rivero, die sinds ongeveer tien maanden haar minnaar was, achter dat weerzinwekkende weefsel van familierituelen te verbergen.

Tijdens die huiselijke afsluiting van de viering van haar trouwdag begon er een nieuwe fase in haar leven. Ze kon alleen zeggen dat ze op een bepaald moment tijdens het familiefeest met haar handen een krabbenpoot brak en dat het geluid waarmee die handeling gepaard ging, een geluid dat samenviel met dat van het ontkurken van een fles champagne, haar verbaasde, en dat een stem tegen haar leek te zeggen: 'Op wie hebben ze in dit huis geschoten?', en daarna: 'Wie heeft er op de tiran geschoten?', terwijl ze, met een afkeer die uit het diepst van haar wezen kwam, een viertal licht aangeschoten vrouwen de mambo zag dansen en hoorde hoe vanuit een andere hoek van de kamer regelmatig het schaterlachen van het mannelijke deel van het gezelschap opklonk, ongetwijfeld telkens wanneer Nicolás weer een van zijn obscene verhalen had verteld. Ze vond het niet prettig dat haar man soms zulke verschillende gezichten kon laten zien: het ene moment was hij een dandy in de chique wereld waar hij was binnengedrongen, het volgende een ordinaire kerel te midden van het plebs. Tegelijkertijd viel haar de waardige gereserveerdheid van haar neef op, zijn bescheidenheid, de afstand die hij schiep met zijn ijskoude glimlach. Op het moment dat ze een krabbenpoot brak en een fles champagne hoorde ontkurken, wist ze dat er een fase van haar leven ten einde liep en dat zich een nieuwe fase aankondigde, voller en vrijer, waarin die jongeman, haar neef, haar minnaar, niet meer zou hoeven te luisteren naar de onsmakelijke verhalen van wie dan ook, zoals hij ook geen bevelen meer hoefde op te volgen of zich zou hoeven laten vernederen door de arrogante houding die Nicolás zich soms tegenover zijn werknemers aanmat.

Het visioen dat ze kreeg was overweldigend en angstaanjagend. Ze besefte dat ze er niet op voorbereid was. Ze begon te beven; daarna barstte ze in lachen uit. Ze voelde dat ze zomaar kon gaan huilen van vreugde. Ze wilde luidkeels blijk geven van haar geluk, het met alle kracht die haar longen konden voortbrengen uitschreeuwen. Maar ze had geen zin door dat stelletje pummels voor een hysterica te worden aangezien. Ze zou leren te doen alsof en haar emoties te verbergen tot het moment van de definitieve bevrijding. Ze had er genoeg van dat er al sinds haar jeugd werd gezegd dat ze geestelijk labiel was, terwijl de voorvallen waarop die verhalen gebaseerd waren volgens haar alleen maar bewezen dat ze veel fijngevoeliger was dan haar zussen. Ze besloot naar de badkamer te gaan om haar gezicht te verfrissen en wat lavendel op te snuiven. Maar ondanks haar vaste voornemen sterk te zijn en zich niet zomaar gewonnen te geven voelde ze meteen toen ze opstond een diepe zucht aan haar borst ontsnappen. Die zucht viel samen met het luidruchtig ontkurken van een nieuwe fles. Ze merkte een lichte verwarring om zich heen. In de plotselinge vloedgolf van tegenstrijdige gevoelens die haar dreigde mee te sleuren was Jacqueline nog helder genoeg om te beseffen dat ze haar triomf teniet dreigde te doen nog voordat ze zelfs maar een vinger had uitgestoken om die te behalen. Ze was altijd trots geweest op haar snelle reactievermogen en die middag vormde daarop geen uitzondering. Jammerend, trillend en zuchtend riep ze uit: 'Een aardbeving! Een aardbeving! Mijn god, voelen jullie dan niet dat de aarde beeft?'

De verwarring was compleet. Iedereen probeerde de tekenen te zien. Bewoog er iets in huis? De kaarsen? De schilderijen? De gordijnen? Niets. Alles bleef op zijn plaats.

'Een knap bedachte truc om ons het huis uit te jagen, dat moet ik toegeven,' riep María Dorotea verontwaardigd uit. 'Typisch María Magdalena! Ik ken haar door en door, ik heb jarenlang tegen haar op moeten boksen, maar vandaag laten we ons niet door haar de wet voorschrijven.'

De gasten bleven tot diep in de nacht drinken en dansen. Met behulp van haar man en van Alicia Villalba, die juist op dat moment arriveerde, werd Jacqueline naar haar kamer gebracht en in bed gelegd. Ze huilde hevig en langdurig, maar na verloop van tijd werd ze rustiger. Ze keek in de spiegel en vond zichzelf er zo afschuwelijk uitzien dat ze weer een hele tijd moest huilen. Ze stond verscheidene keren op om tegen dat stelletje klaplopers te schreeuwen dat ze op moesten hoepelen of om ze de huid vol te schelden omdat de muziek te hard stond en ze gek werd van het harde praten en lachen, maar als ze eenmaal stond liet ze zich meteen weer op bed vallen om verder te huilen. Telkens wanneer ze in de spiegel keek schrok ze van de aanblik die ze bood. Haar gezicht was opgezwollen; door haar halftoegeknepen ogen, net die van een rat, zag ze de contouren van een erbarmelijke verschijning. Het gesnik verloste haar niet van de onderdrukking waarvan ze in de zeven huwelijksjaren, die ze tot haar ongeluk die dag had moeten vieren, te lijden had gehad. Met moeite, onvoorstelbaar veel moeite, slaagde ze erin op te staan; ze ging haar kamer uit, liep naar de trap en liet zich daar rillend op de grond zakken. Tussen de spijlen van de balustrade door sloeg ze de aanwezigen gade. Die onbeschofte meute leek volledig losgeslagen en in een onstuimige roes te verkeren. Geschokt zag ze Gaspar in hemdsmouwen en zonder stropdas volkomen ongegeneerd de mambo dansen met María Dorotea, die onophoudelijk haar mond open- en dichtdeed, haar tong uitstak en weer introk, net deed alsof ze, als een ordinaire nachtclubdanseres, kauwgom kauwde en met obscene pasjes haar onderlichaam tot vlak bij dat van haar neef bracht, dan weer snel terugweek en met dierlijke bewegingen voor hem door de knieën ging, waarmee ze zowel de indruk wekte dat ze hem om genade smeekte als dat ze hem openlijk uitdaagde met haar te vrijen, iets wat niet alleen volkomen onelegant maar zelfs ronduit stuitend was. Een weerzinwekkend schouwspel! Niets zou haar meer deugd hebben gedaan dan als ze Gaspar, een beetje afgezonderd van de anderen, met een door zorgen gekweld gezicht onderuitgezakt in een fauteuil had zien zitten, zich bewust, God mocht weten hoe, van de verbazingwekkende openbaring die de door hem beminde vrouw zojuist ten deel was gevallen. Steun zoekend tegen de muur sloop ze langzaam terug naar de echtelijke slaapkamer; de inzinking was voorbij en liet achtereenvolgens een gevoel van opwinding en van weemoed bij haar achter. Had het wel zin de enorme risico's te lopen die de nabije toekomst haar in het vooruitzicht stelde voor een man die er behagen in schepte om op het moment dat zij door emoties werd overmand op schaamteloze wijze met een zo nietszeggende vrouw als haar zus te gaan dansen? Haar gedachten tuimelden over elkaar heen. Ze maakte plannen die ze meteen weer verwierp; de details van het programma dat ze binnenkort moest uitvoeren flitsten op als in een aanhoudende vonkenregen, schoten door elkaar heen, hieven elkaar op en verdoofden haar. Het succes leek binnen handbereik. Maar daarvoor zou Gaspar wel vaart moeten zetten achter de scheidingsprocedure. De vrouw met wie hij getrouwd was weigerde hem op te geven. Jacqueline voelde zich behoorlijk verward. De afgelopen tien maanden waren de gelukkigste van haar leven geweest. Toen Gaspar haar zijn huwelijksproblemen en zijn zorgen over de toekomst van zijn dochters had toevertrouwd en haar deelgenoot had gemaakt van zijn verdriet en zijn angsten, was ze behalve zijn geliefde een zus, een vriendin en een moeder voor hem geworden.

Ze ging weer voor de spiegel zitten, droogde haar tranen en smeerde haar gezicht in met een dikke laag verfrissende crème, die ze meteen weer met een handdoek wegveegde. Ze bekeek zich zorgvuldig in de spiegel, ging schijnbaar tevreden op bed liggen en begon te denken aan de dingen die gebeurd waren.

Het begin van een liefdesrelatie heeft altijd iets van de dageraad, zei Márgara Armengol altijd. Op een ochtend was ze voor de spiegel gaan staan om zich aan te kleden, waarbij ze begonnen was met de meest elegante jurk, maar uiteindelijk toch koos voor een rok, een trui en een regenjas, met schuin op haar hoofd een oud blauw alpinomutsje. Midden op haar trui, tussen haar borsten, speldde ze een broche die de vorm had van een bosje margrietjes; een van de margrietjes omvatte een piepklein uurwerk. Het was een broche waarover haar man altijd smakeloze grappen maakte. In haar auto onderweg naar het Asunción voelde ze zich als een Franse studente, een existentialiste zoals je die jaren geleden in films zag, die op weg was naar haar eerste afspraakje. In het hotel vroeg ze aan de receptionist, een lompe, slecht geschoren man met een dikke laag roos op de kraag van zijn colbert, of hij haar kon vertellen waar ze hier in de buurt kettingen en halsbanden verkochten; ze had een dunne gouden ketting nodig voor het uur-werk, zodat ze de broche een centimeter of dertig van haar borst kon houden en hem niet steeds hoef-de af te spelden om te weten hoe laat het was; en ze moest een stevige, leren halsband voor haar hond kopen; dat was het, een gouden kettinkje voor haar-zelf en een halsband met riem voor haar hond, her-haalde ze nog eens tegen die ongure kerel, die haar met tegenzin adviseerde naar de dichtstbijzijnde Sanborn's in de Paseo de la Reforma te gaan. Op dat moment verscheen Gaspar Rivero, zichtbaar ver-ward door haar aanwezigheid. Voor Jacqueline leed het geen enkele twijfel dat de indringende blikken die ze telkens wanneer ze elkaar bij haar thuis zagen achter de rug van haar man hadden gewisseld, voor haar neef een duidelijk teken moesten zijn dat de dag waarop ze elkaar alleen zouden ontmoeten niet ver meer was. Hij liep beleefd met haar mee naar de deur van het hotel, waar hij tegen haar fluisterde dat het niet verstandig was hem daar op te zoeken, omdat Morales, de receptionist, erachter kon komen wie ze was, hun ontmoeting mogelijk verkeerd zou interpreteren en er een vals beeld van kon geven aan haar man.

Jacqueline vroeg op welk tijdstip ze dan naar het hotel kon komen zonder bang te hoeven zijn de receptionist tegen het lijf te lopen.

'Morales is een hond, ik ken geen gemenere hond dan Morales,' antwoordde Gaspar. 'Hij zit de godganse dag in het hotel. Als hij kon, maakte hij er zijn hondenhok van en zette geen stap meer buiten de deur, dan zou hij ook nog het geld voor huur en eten uitsparen. Tegen zijn zin gaat hij elke zaterdag na het eten weg en komt pas maandagochtend vroeg weer terug,' legde Gaspar haar uit.

Nog diezelfde week belde Jacqueline hem op vrijdagmiddag op. Ze zei dat Nicolás zoals gebruikelijk naar Cuernavaca was vertrokken, vast weer met een van zijn vulgaire minnaressen, maar dat ze niet belde om over de details van haar huwelijksleven te praten, maar om hem voor zaterdagavond uit te nodigen; ze zou het fijn vinden als hij haar ware wereld leerde kennen, een wereld waar zij zich als een vis in het water voelde. Hij had haar tot dusver alleen nog maar in een vijandige omgeving gezien, te midden van Nicolás' werknemers of, nog erger, tussen haar familieleden, die in een wereld leefden die mijlenver van de hare afstond, zoals hij vast wel zou hebben gemerkt. Wat kon ze bijvoorbeeld gemeen hebben met haar zwager Jesús, de smid, zou hij haar dat eens kunnen vertellen? En hij had toch ook wel gezien dat María Dorotea er niet uitzag met die gouden kroon in haar mond? Alleen al van het begroeten van haar familie werd ze kregelig. Daarom wilde ze graag dat ze elkaar te midden van haar ware familie zagen, niet die welke haar door het noodlot was toegewezen maar die ze vrijwillig had gekozen, een select groepje vrienden dat hem zeker zou bevallen. En zo kwam het dat ze hem meenam naar een van de feestjes van Márgara Armengol. Die zaterdag besteedde ze extra veel zorg aan haar boodschappen en 's middags bracht ze potten schelp- en schaaldieren, asperges, worst, ham, verschillende soorten kaas, noten, vruchten en een uitgebreid assortiment alcoholische dranken naar het huis van haar vriendin. Toen ze 's avonds bij Márgara aankwamen, zaten de aanwezigen naar een oude plaat van Elvira Ríos te luisteren. Gaspar wilde meteen met haar dansen, maar ze fluisterde dat dit muziek was om naar te luisteren en dat het bovendien niet gebruikelijk was dat er in het huis van haar vriendin gedanst werd. Ze herinnerde zich nog zijn geërgerde grimas; hij mompelde iets wat Jacqueline niet verstond maar haar er wel meteen toe bewoog onder de spottende blikken van de anderen met hem te gaan dansen. Na twee nummers gingen ze weer zitten. Was het mogelijk dat die gespannen, stugge en schichtige man dezelfde was die haar zo had aangetrokken vanwege zijn spontane omgang met anderen? Hij voelde zich zichtbaar niet op zijn gemak bij die mensen, die hij ingebeelde, bekrompen snobs noemde. Voor het eerst kwam de gedachte bij Jacqueline op dat je die feestavondjes ook in een ander licht kon zien dan zij gewend was. Ze gingen vroeg weg, nog voor middernacht. Tegen de wil van haar neef in stond ze erop hem naar het hotel te brengen. Jacqueline probeerde een gesprek met hem te beginnen, maar hij reageerde kortaf en ontwijkend. Toen ze op de plaats van bestemming aankwamen, stapte ze uit de auto en ging, alsof ze het zo hadden afgesproken, zo ongedwongen mogelijk met Gaspar het hotel binnen.

Gaspar Rivero toonde zich weinig bereidwillig haar op zijn kamer uit te nodigen; hij voerde aan dat iemand hen kon zien, dat ooit bekend zou worden dat ze bij hem was geweest en dat er niets goeds kon voortkomen uit dergelijke affaires; ze begon een van de nummers van Elvira Ríos te neuriën die ze die avond gehoord had: 'Liefste, ik wil weer met je praten / de avond is zo stil en nodigt uit tot een gesprek...,' kennelijk vastbesloten niet te luisteren naar enig argument dat haar van haar voornemen af zou kunnen brengen. En dus had hij geen andere keus dan haar binnen te laten. Jacqueline ging op het bed zitten en begon zich doodgemoedereerd uit te kleden. Op een commode zag ze in een zilveren lijstje de foto van een vrouw met twee meisjes. Zijn dochters, legde hij uit. Ze sliepen met elkaar, maar na afloop had ze het gevoel dat er iets, bijna alles, aan ontbroken had, niet zozeer lichamelijk als wel psychisch;

haar neef leek haar louter uit plichtsbesef, mechanisch, volkomen onpersoonlijk genomen te hebben, maar in plaats van zich gekwetst te voelen wakkerde dit haar verlangen aan zich opnieuw op hem te storten, net zolang tot hij zijn door angst ingegeven weerstand zou overwinnen. De scherpe geur van zijn lichaam wond haar meer op dan enige liefkozing. Ze rookten een paar sigaretten in bed. Jacqueline vergeleek het magere, knokige, bruine lichaam van haar neef met haar eigen blanke, volle, ronde vormen. Heel even schaamde ze zich en trok het laken over zich heen; maar meteen daarop herinnerde ze zich dat ze weleens had gehoord dat magere mannen een bijzondere voorliefde hebben voor weelderig vlees, dat wil zeggen voor mollige vrouwen, en ze glimlachte. Toen Gaspar naar de badkamer ging om te douchen, maakte Jacqueline van de gelegenheid gebruik in de kamer rond te kijken en de zakken van zijn kleren te doorzoeken. Ze keek vreemd op van de dikke bundel bankbiljetten in zijn portefeuille. Een vermogen! Haar verbazing werd nog groter toen ze in de portefeuille de ovale foto vond van een andere vrouw, niet die op de foto in het zilveren lijstje op de commode. Ze had het gevoel dat ze gek werd en kleedde zich snel aan. Toen hij de badkamer uitkwam, begon ze zonder enige inleiding een reeks verontwaardigde vragen op hem af te vuren. Waarom had hij tegen haar gezegd dat hij kort voor zijn scheiding stond, terwijl hij de foto van zijn vrouw voortdurend in het zicht had, zodat hij er bij het naar bed gaan en het opstaan van kon genieten? En die andere vrouw? Welke andere vrouw? Wilde hij soms beweren dat hij niet meer wist wie dat mens was van wie hij een foto in zijn zak had? Dacht hij soms dat ze niet gemerkt had dat hij die meid, die regelrechte hoer, in zijn binnenzak op zijn hart droeg? Met het kleine beetje waardigheid dat haar nog restte stond ze op en maakte aanstalten om te vertrekken.

'Je hoeft niet te proberen me terug te zien. Ik zou nog liever slangenvlees eten dan in deze zwijnenstal terug te komen,' zei ze tegen hem, terwijl ze de ovale foto in haar handtas stopte en luidruchtig snoof, alsof er in de kamer een walgelijke stank hing. Ze had een verbitterde trek om haar mond en haar blik stond wazig. Hij kamde schijnbaar onaangedaan zijn haar voor de spiegel en schonk nauwelijks aandacht aan haar. Hij zei alleen dat hij nooit had gedacht dat ze zo diep zou zinken en zijn kleren zou doorzoeken; hij vroeg haar de foto terug te geven, maar ze schamperde dat hij die dan maar met geweld moest afpakken als hij zo'n flinke kerel was, zij was niet bang een schandaal te veroorzaken. Ze zou het als een gek op een schreeuwen zetten, en als het nodig was moest haar man er maar achter komen, dan zou ze hem weleens vertellen dat die voorbeeldige werknemer van hem, die zich voordeed als een zwijgzame en eerlijke jongen uit de provincie, een vermogen in zijn portefeuille had, eens kijken hoe hij dat dacht te verklaren. Gaspar strikte zijn stropdas, trok zijn colbert aan, wees haar de deur en liep zonder een woord te zeggen met haar mee naar de auto. Toen ze thuiskwam prikte Jacqueline vier spelden in de foto van de vrouw, twee in de ogen, een in de mond en een midden in het voorhoofd.

Ongeveer een maand later kwam ze op het idee weer eens een van die feestjes te geven waar ze zo'n hekel aan had. De doordringende lichaamsgeur van haar neef was een obsessie voor haar geworden. Het was niet het typische luchtje dat door een slechte lichaamsverzorging werd veroorzaakt, maar een geur die van binnenuit kwam, misschien het gevolg van een of andere klieraandoening. Ze had helemaal geen zin in een feest, maar onder de gegeven omstandigheden vond ze dat ze geen andere keus had. Ze vroeg haar man om Gaspar uit te nodigen, maar hij vergat het en het familiefeestje werd een ramp. Ze wist dat bepaalde mensen haar ruime opvattingen als een teken van platvloersheid beschouwden; en juist die mensen nodigde ze uit om hen, al was het maar voor vijf minuten, met María Dorotea en María del Carmen en hun echtgenoten te confronteren, zodat ze eens en voor altijd zouden weten wat écht ordinair was. In het begin verveelde ze zich dood, maar toen ze besefte dat haar neef niet zou komen, raakte ze geïrriteerd. Ten slotte begon ze de aanwezigen onverbloemd de waarheid te zeggen, en die betaalden haar met gelijke munt terug. Ze noemden haar María Magdalena, wat op zichzelf al genoeg was om haar uit haar vel te doen springen. Er werden bij die gelegenheid over en weer zulke onaangename dingen gezegd dat de familiefeestjes in het huis van de Lobato's vanaf dat moment voorgoed tot het verleden behoorden.

Op zekere dag kwam Nicolás rond etenstijd thuis in gezelschap van Gaspar Rivero. Tijdens de koffie wisselden neef en nicht weer een paar woorden met elkaar; dat vormde de aanzet tot de bloeitijd van hun relatie. Jacqueline viel af, kocht nieuwe kleren, ging niet meer naar de feestjes van Márgara Armengol en bezocht haar vriendin nog maar heel af en toe om haar hart uit te storten, waarop Márgara haar er steevast aan herinnerde dat haar huis altijd voor beide geliefden openstond; ze had meteen gemerkt dat de jongen ondanks zijn verlegenheid karakter had; terloops vroeg ze Jacqueline dan altijd of ze haar misschien wilde helpen bij het organiseren van een cocktailparty die ze van plan was te geven voor een jonge schrijver ter gelegenheid van de publicatie van zijn laatste boek, voor een dramaturg in verband met zijn aanstaande huwelijk, of voor een schilder naar aanleiding van zijn recente overzichtstentoonstelling, waarbij ze eraan toevoegde dat ze bij die gelegenheden vanzelfsprekend op haar aanwezigheid rekende. En ook haar neef, dat hoefde ze niet eens te zeggen, was uiteraard altijd van harte welkom.

Welnu, wil dit verhaal eindelijk enige zin krijgen, dan moeten we beginnen met het moment dat gemarkeerd werd door het kraken van een krabbenpoot en het knallen van een champagnekurk. Het moment dat van doorslaggevende betekenis zou blijken voor het lot van onze geliefde Jacqueline! Op die bewuste avond en in de loop van de daaropvolgende dagen liet ze nog eens alle grieven die haar huwelijksleven kenmerkten aan zich voorbijtrekken. Ze was vastbesloten tot handelen over te gaan, maar ze moest de kwestie uiterst behoedzaam aan haar neef voorleggen. Gaspar was te gevoelig, zei ze bij zichzelf; het ontbrak hem aan de wilskracht die zij wel had. Hij zou haar behoefte aan wraak na al die jaren van krenkingen niet begrijpen. Hij was een brave, onschuldige jongen. Ze vertelde hem dan ook eerst hoezeer ze leed bij de gedachte aan hem, aan hen beiden, aan de verstikkende liefde die ze doorleefden, in een pover heden, zonder enige toekomst. Ze zag geen uitweg. Als ze ging scheiden, kon Nicolás haar zonder een cent laten zitten en was de kans groot dat haar neef zijn baan kwijtraakte. Terug naar de armoede? Ze dacht er niet aan! Ze vond het onverdraaglijk, zei ze, dat haar man haar aanraakte en telkens als hij daar zin in had bezit nam van haar lichaam. Je kon je niet voorstellen hoe grof en meedogenloos hij dan kon zijn. Verscheidene dagen achtereen deed ze niets anders dan hetzelfde betoog afsteken, waarbij ze voortdurend wees op de enorme hoeveelheid geld waarin Lobato zwom, een man die het niet waard was van die welvaart te genieten, een idioot die zijn kapitaal alleen maar verkwistte aan vuile sletten, en dan legde ze er weer de nadruk op dat al dat geld eigenlijk van hem, van Gaspar zou moeten zijn, dat hij, zesentwintig jaar oud en in het volle bezit van al zijn talenten, degene was die er werkelijk recht op had. Als hij het kapitaal van Nicolás bezat zou het leven de hemel op aarde worden, hield ze hem voor, terwijl ze in een van de gammele bedden van hotel Asunción lagen. Of niet soms? Durfde hij haar soms tegen te spreken? Ze schilderde de prachtigste taferelen, die meestal uitmondden in een gondelvaart door de kanalen van Venetië. In het begin had de lach waarmee Gaspar haar uitlatingen begeleidde iets beschaamds, alsof alleen al het

luisteren naar een gewaagde grap hem compromit-
teerde; later zwichtte hij echter voor het onophoude-
lijke gepreek van zijn geliefde, want Jacqueline kon
nergens anders meer over praten. Zo begonnen ze,
hij op dezelfde behoedzame manier als waarmee hij
aanvankelijk naar haar had geluisterd, alsof het
alleen maar spel was, en zij inmiddels zonder enige
terughoudendheid, een voor een de noodzakelijke
stappen te plannen, totdat de fantasie volledig uit
hun gesprekken verdween en ze allebei beseften dat
ze bloedserieus waren. Jacqueline kwam met bruik-
bare gegevens. Er was een pistool in huis. Nicolás
bewaarde het achter in de middelste la van zijn
bureau. Hoe sneller ze het hem liet zien, hoe beter.
Op een gegeven moment mochten ze elkaar niet langer ontmoeten, om geen argwaan te wekken. Dan
zouden ze elkaar alleen nog zien als Nicolás hem uitnodigde om bij hen te komen eten. Gaspar zei dat hij
een paar weekeinden met Nicolás meeging; die had
hem al verscheidene keren meegevraagd, omdat hij
hem wilde interesseren voor de werkzaamheden in
Cuernavaca. Ze zouden zich volkomen natuurlijk gedragen, uiterst discreet te werk gaan en elkaar pas
weerzien als het moment gekomen was om die
dwaas in het stof te laten bijten. Jacqueline voelde
een verrukkelijke rilling over haar rug gaan toen ze
die uitdrukking hoorde. De enige voorwaarde die ze
stelde was dat ze niet zelf hoefde te schieten. Ten
eerste had ze nog nooit een pistool in handen gehad,
en ten tweede vond ze het geen taak voor een echtgenote. Zij zou Gaspar bijvoorbeeld nooit durven vragen zijn vrouw te vermoorden. Sommige dingen kon

je wel doen en andere niet, dat was volstrekt ondenkbaar.

Voordat ze, zoals afgesproken, uit elkaar gingen namen ze nog eens alle details door van hun plan om Nicolás Lobato uit de weg te ruimen. Op een keer was Gaspar bij aankomst vreselijk opgewonden. Hij praatte aan een stuk door, wat zijn betoog bij vlagen nogal onbegrijpelijk maakte. Hij was net bij een van de drie meest vooraanstaande advocaten van Mexico geweest, vertelde hij, en die had hem beloofd de scheiding binnen een paar weken rond te hebben. De advocaat zou eerst een onderzoek naar zijn vrouw instellen. Hij beschikte over de beste detectives; als Rosario vreemd ging, wisten ze binnen de kortste keren met wie en waar ze het deed, en dan was ze de klos. Maar als ze ontdekten dat ze niet vreemd ging, iets wat Gaspar betwijfelde, want hij wist te goed hoe wellustig ze kon zijn, dan stuurden ze wel een mooie callboy op haar af. De advocaat kende er wel een paar die zeer bedreven waren en nooit faalden. Op een goede dag zouden ze haar aantreffen met haar deur wagenwijd open en hij op de drempel in z'n jassie zonder mouwen. Dan zouden de camera's meteen gaan klikken; flitslicht, alles wat verder maar nodig was. Ze zouden de knappe jongen letterlijk op heterdaad betrappen. Vanaf dat moment zou Gaspar haar kunnen dwingen toe te stemmen in de scheiding, of ze dat nu leuk vond of niet. Maar daarvoor had hij geld nodig. En vanaf die dag begon Gaspar haar om bedragen te vragen die haar buitensporig hoog leken, maar die ze hem zonder aarzelen gaf, ondanks de afkeer van de door haar neef beschreven methodes zijn vrouw op de knieën te krijgen en van het door hem gehanteerde taalgebruik. Op een keer zag ze zich zelfs genoodzaakt hem de parelketting te geven die Nicolás haar ooit in Rome cadeau had gedaan, zodat hij die kon verpanden.

Sinds de eerste nacht dat ze met Gaspar naar bed was geweest, voelde ze de dwingende behoefte met haar man te vrijen. En haar begeerte nam aanzienlijk toe naarmate de plannen om hem te vermoorden vorderden. Nicolás Lobato was ronduit verbaasd over het genot dat zij hem bij die gelegenheden schonk; hij had dat bij geen enkele andere vrouw ooit zo ervaren. Voor Jacqueline vormden de twee mannen een nieuw erotisch patroon. Gaspars gebrek aan wellust werd verrijkt met de onstuimigheid van Nicolás, en de geur van zeep en deodorant van haar man met de opwindende lichaamsgeur van haar neef.

Ze zouden uiterst nauwgezet te werk moeten gaan, zeiden ze voortdurend tegen elkaar; ze mochten geen detail over het hoofd zien. Gaspar vond dat Nicolás Lobato op de route van Mexico-stad naar Cuernavaca uit de weg moest worden geruimd. Zij zou die dag de wens te kennen geven dat ze met hem mee wilde om te kijken hoe het met de werkzaamheden van Las Palmas stond; ze zou zeggen dat ze daarna doorreisde naar Tepoztlán om met een paar vroegere studiegenotes te gaan eten. Ze zou dus samen met Nicolás vertrekken. Onder het voorwendsel dat ze hem een oud slooppand wilden laten zien waarvan de deuren, balken en het smeedwerk binnenkort te koop werden aangeboden, zouden ze hem naar een boerderij lokken die alleen te bereiken was via de oude weg. Hierdoor meden ze de tolhuisjes op de snelweg, waar iemand hen zou kunnen zien en later identificeren. Gaspar zou in de auto van Jacqueline rijden, met het pistool in het dashboardkastje. De Lobato's zouden op een traject met weinig verkeer stoppen en daar zou Gaspar hen opwachten en hen op een onverharde weg voorgaan. Zodra ze waren uitgestapt, zou de minnaar Nicolás van achteren neerschieten, op korte afstand om er zeker van te zijn dat hij niet zou missen. Daarna moesten hij en Jacqueline in haar auto terug naar de stad om hun alibi voor te bereiden. Dat was geen probleem. Zij zou Márgara opbellen en kort na het begin van hun gesprek haar vriendin vragen of ze haar even wilde verontschuldigen en over vijf minuten terug kon bellen omdat er iemand voor de deur stond. Op die manier zou ze kunnen bewijzen dat ze die middag in haar huis in Mexico-stad was. Gaspar zou herhaaldelijk het restaurant van het hotel in lopen om zijn aanwezigheid aan het personeel en de gasten kenbaar te maken en zich daarna in zijn kamer terugtrekken en telefonisch een biertje en een paar broodjes bestellen. Zoiets. In de hoofden van verschillende mensen bleef dan het idee hangen dat beiden de middag in de stad hadden doorgebracht. Op het lichaam van Nicolás en in de auto zou geen enkel persoonlijk document worden aangetroffen, zodat de politie enige tijd nodig had om het lijk te identificeren. Misschien zou er wel meer dan een dag verstrijken voordat ze contact met haar opnamen om haar mee te delen dat haar man was vermoord. Er moesten nog wel enkele details nader uitgewerkt worden. Ze

moesten bijvoorbeeld nog een paar argumenten ver-
zinnen voor het geval ze de pech hadden dat een
bekende hen samen zag terugkomen, iets wat niet
erg waarschijnlijk was maar waar ze toch rekening
mee dienden te houden. Jacqueline moest nog met
het dienstmeisje praten en haar voorstellen haar vrije
dag van zondag naar zaterdag te verschuiven, zodat
er op de bewuste dag geen getuigen waren van wat er
in en om het huis gebeurde.

Zo rijpte het plan. Gaspar Rivero begon de mogelijkheden langs de oude weg naar Cuernavaca te be-
studeren. Ze ontmoetten elkaar niet langer en spraken af uitsluitend met elkaar te bellen als het nodig
was, en dan zouden ze in code spreken. In noodge-
vallen zouden ze elkaar op een vooraf vastgestelde
plek zien: in boekhandel Zaplana op de avenida Juá-
rez, waar ze, verborgen achter de boekenkasten, zonder pottenkijkers met elkaar konden praten. De
datum van het misdrijf werd vastgesteld. Jacqueline
voelde zich zeker van de zaak, nu ze zo heel dicht bij
het uit de weg ruimen van het obstakel was dat tussen haar en haar geluk in stond.

Op een avond, kort voor de afgesproken dag, kwam
Nicolás Lobato thuis in gezelschap van Gaspar. Na
het eten, toen de twee mannen in de woonkamer een
partijtje domino gingen spelen en zich fluisterend
onderhielden over een voor haar onbegrijpelijk en
geheimzinnig onderwerp, kon Jacqueline de verlei-
ding niet weerstaan een blik op het bevrijdende
wapen te werpen, het in haar handen te houden en te
strelen. Ze vond het zelf een ziekelijke aanvechting,
maar kon er geen weerstand aan bieden. Toen ze de

la van het bureau waarin de revolver lag opentrok, zag ze een envelop met foto's, die ze uit pure verveling, zonder de minste nieuwsgierigheid, dat had ze later kunnen zweren, opende. Er zaten verscheidene kleurenfoto's in van drie stelletjes in zwemkleding. Ze herkende Nicolás met een jonge meid, naar alle waarschijnlijkheid een van zijn werkneemsters, en ook Gaspar, die een vrouw met blote borsten kuste. Ze kon niet zeggen waarom, maar op dat moment wist ze zeker dat het dezelfde slet was van wie ze de foto had doorboord met spelden. Ja, er was geen twijfel mogelijk, het was die hoer op de foto die ze na hun eerste gezamenlijke nacht in Gaspars portefeuille had aangetroffen. Het was onbegrijpelijk dat ze op dat moment niet voorgoed haar verstand verloor. Maandenlang had ze zich als een idioot door haar neef, met dat vervloekte engelengezicht van hem, om de tuin laten leiden en geld uit de zak laten kloppen. Met een helderheid die haarzelf verbaasde zag ze haar toekomst voor zich: na de begrafenis van Nicolás Lobato zou Gaspar net doen of hij nog meer van haar hield; op een gegeven moment zou hij met haar trouwen en haar dan bij de eerste de beste gelegenheid naar de andere wereld helpen, net zoals hij dat nu van plan was met haar arme man, om een onbezwaard vermogen te erven dat hij aan de voeten zou leggen van de naakte del die hij op de foto's kuste. Met handen die verkrampt waren van de spanning pakte ze het pistool. Een afgrijselijke gil ontsnapte aan haar keel, en daarna nog een en nog een. Ze wilde naar de woonkamer, maar in haar verwarring nam ze een verkeerde deur en stond plotseling in de tuin, in het pikkedonker. Toen loste ze het eerste schot in de lucht. Ze schreeuwde en brulde, en ze voelde de tranen over haar wangen stromen, ze wilde dood, maar eerst wilde ze nog het genoegen smaken haar valse minnaar te vermoorden. Ze was als een dwaas in zijn klauwen gevallen! De mannen kwamen aangerend om haar tegen te houden. Ze schoot nog twee, drie, vier keer, zonder te weten op wie of wat. Ze voelde een klap in haar gezicht, proefde iets slijmerigs en zouts in haar mond, kreeg opnieuw een klap en toen werd er een zware doek over haar hoofd gegooid. Ze voelde dat ze geslagen werd en dat iemand haar hand omdraaide waarin ze de revolver hield. Een wonderlijk warm gevoel trok door haar rechterarm van de schouder tot aan de vingertoppen. De rest was chaos. Ze herinnerde zich een prik, een onbekende die haar een injectie gaf. Een hele tijd later werd ze wakker in een witte kamer die ze niet meteen thuis kon brengen; naast haar bed zat een vrouw die haar probeerde te kalmeren: een verpleegster. Het enige wat tot haar doordrong was dat ze niet meer wilde leven; in de daaropvolgende dagen weigerde ze voedsel tot zich te nemen; ze kreeg een infuus en wanneer er een arts of verpleegster binnenkwam zei ze geen woord; ze deed niets anders dan huilen. Regelmatig zag ze haar moeder aan het bed zitten, ze hoorde haar pleiten voor haar echtgenoot, zeggen dat Nicolás leed, dat hij zwaar aangeslagen was, dat hij niets liever wilde dan dat ze beter werd, en later stond hij zelf ook aan haar bed en kuste haar hand, haar wangen, maar ze begreep niet wat hij zei, en er waren momenten dat haar kamer volstroomde met mensen, haar moeder, haar echtgenoot, haar twee zussen, een verpleegster die met een vals kinderstemmetje op haar mopperde en het vingertje hief, alsof ze een klein meisje was dat iets stouts had gedaan. Heel geleidelijk begon ze concessies te doen aan de buitenwereld, haar verlangen om dood te gaan nam af, op een dag proefde ze wat van het eten, het infuus werd verwijderd en ze begon met artsen, verpleegsters en zelfs met Nicolás te praten; en op zeker moment verscheen haar man met een koffer waar de verpleegster de jurk uithaalde die ze op haar trouwdag gedragen had en hielp haar met aankleden. Nicolás sloeg een bontmantel om haar schouders en schoof een ring met een mooie smaragd aan haar vinger. Ze barstte in huilen uit, legde haar hoofd op de borst van haar echtgenoot, en zo, de armen om elkaar heen geslagen, met een tederheid die ze nooit bij een dergelijke barbaar had kunnen vermoeden, verlieten ze de kamer, liepen naar de auto en reden naar huis. Toen hij haar naar bed bracht begon ze weer zachtjes te huilen. Ze zei bij zichzelf dat ze de bontmantel en de ring alleen maar had aangenomen om geen schandaal te veroorzaken in het ziekenhuis, maar ze zou ze nooit meer dragen. Ze had geen zin en geen energie om te praten. Ze had ook geen behoefte om iets te vragen. Ze wist niet waarom, maar het was aangenaam de warmte en de kracht te voelen van het lichaam van haar man. Sinds ze de slaapkamer waren binnengegaan, had Nicolás nauwelijks meer een woord gesproken; hij had haar in bed gestopt, haar handen gestreeld en daarna met verstikte stem gezegd dat ze een dom, een heel dom, een ontzettend dom meisje was geweest, dat zij in zijn leven de enige vrouw was geweest die ooit had geteld, dat hij niet begreep hoe ze daar aan kon twijfelen en dat ze nu braaf moest gaan slapen en dat ze dan allebei, sneller dan ze zich konden voorstellen, de dwaasheden uit het verleden zouden vergeten, dat hij haar nodig had, dat hij van haar hield, dat hij van haar hield, dat hij van haar hield...

DRIE

Ze ging gebukt onder haar verdriet. Ze was de ene crisis nog niet te boven of ze zonk alweer weg in de volgende. Soms kon ze nauwelijks haar hoofd bewegen, zo hevig werd dan haar migraine. Door de pijn in haar nek en haar rug was ze dagenlang als verlamd. Ze raadpleegde verscheidene artsen, onder wie enkele psychiaters; ze vertelde hun alles: haar jeugdtrauma's, de ontrouw van Nicolás, die haar meer dan eens, zei ze dan, en ze geloofde het bijna zelf, op de rand van de zelfmoord had gebracht; haar weetgierigheid: het tegengif voor al haar rampspoed. Ze was een soort papegaai, niet in staat de eindeloze stroom klachten te onderbreken. Wél bewaarde ze voortdurend een ijzeren stilzwijgen over haar liefdesrelatie met Gaspar Rivero en over het misdadige complot dat zij en haar neef hadden gesmeed. Ze wist niet of de artsen haar echt hielpen: ze schreven haar pillen voor waar ze een droge mond van kreeg en waardoor ze als een automaat bewoog, als ze al niet de hele tijd in slaap viel. Zodra ze ervan overtuigd raakte dat de behandeling geen effect meer had, nam ze een andere dokter. Ze dacht dat ze de schande op zo'n gemene manier door die schurk bedrogen te zijn nooit meer te boven zou komen, die smeerlap, die haar, terwijl hij haar met zijn zurige lichaamsgeur bedwelmde, eeuwige liefde had gezworen. Geen moment had ze kunnen bevroeden dat ze zo naïef, zo dom had kunnen zijn, niet bij machte ook maar één schakel in de keten van bedriegerijen waarvan ze het slachtoffer was geweest te doorzien; nu de crisis achter haar lag, was het web van leugens zo helder en duidelijk dat alleen een blinde het niet had kunnen opmerken. Wanneer Nicolás Lobato naar haar kwam kijken, trof hij haar meestal diepbedroefd in bed aan. Ze had altijd een opengeslagen boek naast zich liggen, maar ze leek zich niet werkelijk op het lezen te kunnen concentreren. Als hij haar vroeg hoe ze zich voelde, begon ze steevast te huilen, kwam moedeloos uit bed, liep moeizaam naar hem toe, legde haar hoofd op zijn borst, sloeg haar armen om hem heen en snikte nog hulpelozer verder.

Op een middag zei Nicolás dat hij besloten had uit Coyoacán weg te gaan. Ze moesten de recente gebeurtenissen vergeten. Hij was bezig een woning in Polanco te kopen, in de calle de Julio Verne, waar ze een nieuw leven zouden beginnen. Een ruim huis, helaas slecht onderhouden, met een grote tuin, ideaal. Een van de architecten die in Las Palmas werkten, zou zodra hij wat vrije tijd had aan de restauratie beginnen. Het leven had nog fantastische momenten voor hen in petto, dat zou ze zien. Trouwens, hij wilde dat het huis op haar naam kwam te staan; over een paar dagen zou ze, hoe lastig het ook was, even mee moeten naar de notaris om de benodigde papieren te tekenen.

Jacqueline vroeg niet meer naar Gaspar Rivero, die geleidelijk uit haar leven verdween. Er waren weken waarin ze nauwelijks aan hem dacht; en als ze het wel deed was het met oprechte haat. Op een dag ontving ze het allesbehalve aangename bezoek van María Dorotea, die meer dan een halfuur lang niets anders deed dan een stel banaliteiten herkauwen en zich ten slotte, alsof ze zich onmogelijk kon inhouden, liet ontvallen dat Gaspar in Cuernavaca woonde, waar hij toezicht hield op de werkzaamheden van Las Palmas. Ze vertelde dat ze er de week tevoren was geweest met haar man Jesús, die het smeedwerk aanbesteed had gekregen. Ergerlijk uitvoerig beschreef ze hoe ver de bouw al gevorderd was. Ze zei dat in een vertrek dat al af was de maquette van het complex stond opgesteld. 'Prachtig,' riep ze zwijmelend uit, ja, iets unieks, een droom, een groot terrein niet al te ver van de stad, een verzameling schitterende bouwwerken. In het midden torende het grote hotel boven alles uit, omgeven door een tuin die een lust voor het oog beloofde te worden. Midden in een palmenbos lagen de tennisbanen, de paardenstallen en de zwembaden. Aan de ene kant van het terrein werd een rij bungalows gebouwd en aan de andere kant een appartementencomplex met hotelservice. Op de maquette was alles te zien, zelfs de golfbaan en de overige sportaccomodaties. Nu ze het met eigen ogen had gezien, zei ze nogmaals, waarbij ze buitengewoon ordinair haar lippen likte, besefte ze dat het om een grandioos project ging, een droom uit duizend-en-een-nacht, een sprookje. En telkens weer herhaalde ze dat Nicolás een man met een geweldig zakeninstinct was. Een gentleman en een magnaat! Niets ergerde Jacqueline meer dan die ordinaire, theatrale gebaren van haar zus, die ze zich zo goed herinnerde van haar eerste schooljaren. Ze kreeg wel een paar dingen te horen die ze niet wist, bijvoorbeeld dat Nicolás hotel Asunción had moeten verkopen wegens de enorme kosten van het project in Cuernavaca. Als hij niet oppaste, zou Nicolás door Las Palmas geen draad meer aan zijn lijf houden. De komende jaren slokte de bouw, zelfs nog na de ingebruikneming van het nieuwe hotel, vast ook het andere hotel op en misschien zelfs het reisbureau, maar er kwam een moment dat alle problemen achter de rug zouden zijn. Nicolás zou wel een hypotheek weten te krijgen en als hij het nodig vond kon hij aandelen van de bungalows en de appartementen uitgeven. Nicolás Lobato zou de wereld weleens laten zien wat hij in zijn mars had.

Voorzover Jacqueline zich kon herinneren, had ze nooit enige sympathie gevoeld voor haar zussen, en in de loop van de tijd was ze María Dorotea – veruit de ergste! – onuitstaanbaar gaan vinden. Een van de redenen waarom ze een hekel aan hen had was dat ze weigerden haar wil te respecteren. Zo had ze hen nooit zover weten te krijgen dat ze haar Jacqueline noemden; ze bleven vasthouden aan de oude, afschuwelijke naam María Magdalena en spraken die uit op een treiterig toontje, waar zij helemaal gek van werd. Van jongs af aan hadden de twee zussen samengespannen en tegenover haar, de jongste, een houding aangenomen die ten slotte zo vijandig was geworden dat elke aanzet tot een vriendschappelijke relatie in de kiem gesmoord werd. De regelmatige omgang met hen en hun echtgenoten in de tijd waarin Gaspar Rivero misbruik van haar maakte, was haar bij verschillende gelegenheden voorgekomen als iets wat haar krachten te boven ging. Ze had het alleen gedaan om de aanwezigheid van haar neef in huis een enigszins normaal kader te verlenen. Nu moest ze hun dus duidelijk maken dat die tijd voorgoed voorbij was. Jacqueline hoorde de informatie dat Gaspar nog altijd voor haar man werkte aan met een koelbloedigheid die ze zelf als bewonderenswaardig bestempelde en die haar zus volledig in verwarring bracht; ze vertrok geen spier bij het noemen van die zo verafschuwde naam. María Dorotea slaagde er niet in ook maar een spoor te ontdekken van de woede die in haar zus opwelde toen ze die klootzak, die bijna haar huwelijk kapot had gemaakt, hoorde noemen. En ze veroorloofde zich de luxe met geen woord te reppen over dat grootse bouwwerk dat die oersaaie vrouw, die zich opwierp als bespottelijke spreekbuis van Las Palmas, beschreef op een toon die zonder aanleiding veranderde van honingzoet in schel en schreeuwerig. Toen ze merkte dat het gesprek Jacqueline totaal onverschillig liet, stortte María Dorotea zich gretig op het enige onderwerp dat haar bij die gelegenheid werkelijk interesseerde: 'Ja, ja... da's toch maar boffen voor Nicolás, die neef van ons daar.' Samenhangende zinnen waren nooit haar sterkste punt geweest. 'Gaspar blijft loyaal; hij zal de problemen uit het verleden vergeten. Een nobele, verstandige en trouwe jongen. Ik heb vaak tegen hem gezegd: Zand over het verleden, jongen, doe net alsof je haar man pas hebt leren kennen. Je zult het zien, María Magdalena, uiteindelijk vergeet hij de moeilijke momenten die hij door jou heeft meegemaakt, jouw zinloze pogingen hem in te palmen. Hij heeft zoveel aan Nicolás te danken dat hij hem zal terugbetalen met zijn loyaliteit. Ik wil me niet met andermans zaken bemoeien; iedereen heeft zijn eigen lot in handen. Nicolás is een naïeve, goedmoedige man, hij houdt van je, maar ook verblinding heeft zijn grenzen...'

'Slechtheid komt voort uit onwetendheid,' zei Jacqueline en ze persifleerde María Dorotea's stem, 'het is een gevolg van slechte smaak en truttigheid. Je hebt geen idee hoe graag ik jou eens bij die gesprekken zou hebben waar ik op zaterdagavond aan deelneem ten huize van Márgara Armengol. Wat zou ik het fijn vinden als we samen konden praten over *De gebroeders Karamazov*, *De gedaanteverwisseling* of *Les demoiselles d'Avignon* van de sublieme Picasso... toen we jong waren kregen we daar de kans niet voor vanwege die vervloekte armoede...! Ik zou het heerlijk vinden jou en María del Carmen de mogelijkheden te bieden die het leven jullie heeft onthouden. Maar waar ben ik mee bezig?! Ik zit hier maar te kletsen, terwijl ik vanmiddag een afspraak met mijn dokter heb, een bewonderenswaardige man, dat kan ik je verzekeren; hij vindt dat ik moet gaan schrijven. Volgens hem moet ik met een kort verhaal beginnen; en reken maar dat ik er zin in heb de frustratie van de middelmatigen te beschrijven, hun wrok tegen alles

62

wat ze niet kunnen bevatten en nooit zullen bereiken. Ik zou mijn verhaal in een denkbeeldige stad en
in een andere tijd moeten situeren om niet het risico
te lopen dat iemand het zich aantrekt, denk je ook
niet? Maar wat zit ik toch te kletsen! Ik moet weg, nu
meteen!'

Ze stond op en zonder haar zus zelfs maar een
hand te geven zei ze gedag, pakte een tijdschrift van
tafel en liep naar haar kamer.

Ze kende María Dorotea door en door; ze stelde
zich al voor hoe het binnenkort anonieme brieven
zou regenen. Ze moest onmiddellijk tot handelen
overgaan, de nodige voorzorgsmaatregelen treffen.
Na het gesprek met haar zus verdween de willoos-
heid die haar de voorafgaande maanden zo had gekweld als sneeuw voor de zon. Die dag kwam Nicolás
niet thuis voor het middageten, en ook niet voor het
avondeten; ze wachtte tot diep in de nacht en viel ten
slotte in slaap zonder hem te hebben gezien. Sinds
de grote crisis sliepen ze in aparte slaapkamers,
waardoor ze zijn bewegingen niet van dichtbij kon
volgen. De volgende ochtend ontbeet ze in haar eentje; ze kleedde zich met meer zorg dan gewoonlijk en
maakte zonder voorafgaande waarschuwing haar
opwachting in het reisbureau.

Nicolás was stomverbaasd toen hij haar zijn kantoor binnen zag komen. Voordat hij zelfs maar zijn
mond kon openen, nam Jacqueline het woord. Ze
sprak op neutrale, krachtige en afstandelijke toon,
als een nieuwslezer op tv: 'Ben je verrast door mijn
bezoek? Gisteren was mijn zus María Dorotea bij
me. Weet je waar die hyena toe in staat is? Ze heeft

me alle details over je nieuwe veroveringen verteld.'
Tot haar eigen verwondering steeg bij het uitspreken
van die leugen een warme golf naar haar gezicht,
haar stem trilde, haar blik vertroebelde door de tranen die opwelden in haar ogen. 'Ik ben altijd een
vrouw geweest met zelfrespect.' Ze merkte dat ze de
draad kwijtraakte. 'Corrigeer me maar als ik lieg.
Aan jouw zijde heb ik een afschuwelijk leven geleid... Ik ben een herstellende patiënte... Het gaat me
vooral om mijn geestelijke herstel... Ik heb je niet het
geluk kunnen bieden dat je je gewenst had... dat heb
je op eigen houtje gezocht...' De tranen rolden over
haar wangen. Ze besefte dat ze snel ter zake moest
komen, voordat Nicolás van zijn verbijstering kon
bekomen. Onder het huilen verhief ze haar stem en
sorteerde daarmee een afschrikwekkend en pathetisch effect. 'Ik ben gekrenkt! Vernederd! Laaghartig
als ze is heeft María Dorotea me verteld dat die ellendige handlanger die je in Cuernavaca in dienst hebt
genomen en die ongelukkig genoeg mijn neef is,
beweert dat ik achter hem aan heb gezeten, je kunt
wel nagaan met welke bedoeling...' Het huilerige
verdween uit haar stem en maakte plaats voor een
vlaag van woede. 'Mijn leven is zuiver als glas en dat
kun jij niet uitstaan. Je zou liever zien dat ik een
goedkoop hoertje was, net zo verdorven en geil als
jij; dat zou je gedrag tegenover mij rechtvaardigen.
Ik kom je meedelen dat ik je huis verlaat. Ik ga zoals
ik gekomen ben. Ik had ook gewoon mijn koffers
kunnen pakken, zodat je bij thuiskomst geen spoor
meer van me had aangetroffen. Maar ik wilde je
recht in je ogen kijken. Binnenkort zal ik je mijn

nieuwe adres sturen. Als je wilt scheiden, prima. Als je wilt dat ik terugkom, ook goed. Maar dan zul je toch eerst je handlanger moeten wegsturen, hem definitief uit ons leven moeten verbannen, al kan ik me voorstellen dat dat niet gemakkelijk is; ik vermoed dat hij je in zijn macht heeft, dat hij iets weet wat je zelfs mij niet hebt durven toevertrouwen, anders kan ik de relatie tussen jullie beiden niet verklaren.' Ze pakte haar handschoenen en haar zwarte handtas en maakte zich op voor een indrukwekkende aftocht, zoals ze bepaalde actrices op het hoogtepunt van een film had zien doen.

Nicolás Lobato stond behoedzaam op van zijn stoel, snelde naar de deur, opende die voor haar, liep samen met Jacqueline naar buiten en reed met haar in zijn auto naar een restaurant, waar ze beter met elkaar konden praten dan in zijn bureau, zoals hij nadrukkelijk zei. Het resultaat van het gesprek was dat hij Gaspar de zaterdag daarop zou ontslaan en dat ze over een paar maanden samen naar Europa zouden reizen, waar ze maar één keer geweest waren, kort na hun huwelijk, twaalf of dertien jaar geleden.

Alles verliep zoals afgesproken. Gaspar verliet Las Palmas en zij gingen samen voor vijf weken naar Europa. De rest van haar leven zou Jacqueline haar neef niet meer terugzien en ook niets meer van hem vernemen. Maar soms, vele jaren later nog, kon ze ineens zijn doordringende lichaamsgeur ruiken en dan was ze een hele tijd van slag.

Kort na hun terugkeer uit Europa kreeg Jacqueline bezoek van Márgara Armengol. Ze hadden elkaar bijna een jaar niet gezien. In de laatste maanden van haar relatie met Gaspar was ze haar niet langer blijven bezoeken. Ze voelde zich beledigd, omdat ze haar vriendin na haar ziekte had opgebeld en deze haar nooit had opgezocht of haar telefoontje had beantwoord. Maar toen ze haar zag was ze haar verbittering op slag vergeten en begon ze meteen een paar indrukken van Europa te vertellen. Het zou ideaal geweest zijn als ze samen zo'n reis hadden kunnen maken, zei ze; de energie van de een en de culturele ontwikkeling van de ander hadden tot een prachtige ervaring kunnen leiden. Márgara leek veel serieuzer, bijna gewichtig, en had duidelijk minder gevoel voor humor dan vroeger. Ze vertelde dat haar vrienden nog altijd in haar huis samenkwamen, maar minder regelmatig, de tijden waren veranderd en ook het karakter van de bijeenkomsten had een verandering ondergaan; het was hoogstaander geworden, zou je kunnen zeggen. De tijd van de losbandigheid behoorde tot het verleden. Elke leeftijd, voegde ze er ernstig aan toe, kende eigen behoeften en voorwaarden. Ze had besloten van haar huis in Coyoacán een opleidingsinstituut te maken.

'De meeste mensen,' legde ze uit, 'hebben wel een talent dat ze niet hebben ontwikkeld, ze zijn leergierig en willen tegelijk hun stem laten horen, maar ze weten niet hoe ze dat moeten aanpakken. Op onze kleine academie hebben een stel vrienden en ik ons erop toegelegd mensen met bepaalde ambities de nodige middelen aan te reiken en hen zo in staat te stellen een horde te nemen waar ze voordien niet overheen meenden te kunnen komen. Denk eens even aan jezelf, Jacqueline. Voor iemand als jij, iemand die haar studie niet heeft afgemaakt maar bruist van de intellectuele aspiraties, bieden onze cursussen niet alleen de mogelijkheid je kennis te verbreden, maar ook je sluimerende creatieve vermogens te ontwikkelen.' Ze legde uit dat er een workshop creatief schrijven zou komen, waar de leerlingen alles leren wat nodig is voor het schrijven van verhalen en romans, een cursus over de grote vertellers, 'hermeneutiek van de roman' ging die heten, waar zowel de klassieke als de moderne romanschrijvers bestudeerd zouden worden, en een cursus over de geschiedenis van de beeldende kunst. De lessen werden 's morgens gegeven. Zijzelf zou zich belasten met de cursus hermeneutiek; Julián Barreda zou de workshop creatief schrijven leiden, en een jonge Italiaan, Gianni Ferraris, een intelligente man, een echte ontdekking, een waar genot om naar te luisteren, zou zijn toehoorders enige beschaving bijbrengen door hoogtepunten uit de kunstgeschiedenis te behandelen, van Altamira tot nu. 'Ferraris zal het niet alleen over schilder- en beeldhouwkunst hebben,' voegde ze eraan toe, 'zoals de meeste docenten op dat vakgebied traditiegetrouw doen, maar hij zal er ook andere visuele middelen bij betrekken, zoals fotografie en film. Kortom, we zullen elke vernieuwing behandelen die ons interessant lijkt. Professor Villalobos, Marina Villalobos, dé autoriteit op het gebied van de geschiedenis van Mexico, zal excursies organiseren naar belangrijke historische of kunsthistorische plaatsen. We willen een flexibel programma aanbieden, zonder rigide regels en geleerddoenerij, dat zou leerlingen alleen maar afschrikken. Nou ja, je moet zelf maar eens komen kijken en vertellen wat je ervan vindt, want ik ben er zeker van dat het niet slecht voor je zou zijn als je je aan mijn kleine tempel van de kennis liet inschrijven.'

Jacqueline schreef zich onmiddellijk in voor de workshop creatief schrijven en de cursus hermeneutiek van de roman. Het resultaat liet niet lang op zich wachten: ze schreef een paar verhalen over haar ongelukkige jeugd en verrijkte haar boekenkast met een groot aantal romans en enkele essays over moderne literatuur. Elke dinsdag en donderdag ging ze in een vage mystieke opwinding naar het huis van Márgara. Het was een gelukkige en rustige tijd, die helaas niet lang duurde. Ze las, mediteerde, schreef en discussieerde. Ze leerde zich tamelijk vlot uit te drukken, zowel mondeling als schriftelijk. Ze probeerde haar ervaringen een paar keer te delen met haar man, maar Nicolás reageerde met dezelfde onverschilligheid die hij zou hebben getoond als ze naar een dameskransje was geweest om te haken of te borduren en hem met alle geweld had willen uitleggen welke nieuwe technieken ze die dag weer hadden geleerd. De cursussen waren in velerlei opzicht een succes. Het sociale leven ten huize van Márgara Armengol onderging een opmerkelijke verandering. De conversatie werd academisch. Nog nooit in haar leven had ze zoveel gelezen! Gianni Ferraris, de docent van Italiaanse afkomst, leek haar na de eerste incidentele gesprekken een onuitstaanbare etter, maar na enig aarzelen schreef ze zich toch in voor zijn cursus, en vanaf het eerste moment vond ze zijn manier van lesgeven geweldig. Kort daarna schreef ze zich ook in voor de cursus Mexicaanse kunst van Marina Villalobos, en zo verdubbelde ze haar wekelijkse aanwezigheid op de academie. De inschrijving voor de cursus van Marina bood haar de gelegenheid elke eerste zaterdag van de maand deel te nemen aan excursies naar precolumbiaanse en koloniale plaatsen. Een lang weekend aan het eind van elk trimester was bestemd voor ambitieuzere reizen. Begin mei zou een excursie naar Yucatán plaatsvinden.

Ze stelde haar man voor die reis samen te maken. Dat deed ze zonder een greintje enthousiasme; ze nodigde hem louter voor de vorm uit, omdat ze zeker wist dat Nicolás onder geen beding zou afzien van zijn bezoeken aan Cuernavaca, waar hij toezicht hield op de vorderingen van de werkzaamheden van Las Palmas. Als hij toch besloot met haar mee te gaan, zou hij het plezier van de reis alleen maar vergallen met zijn botte opmerkingen. Ze dacht geërgerd terug aan hun reis door Europa, waar hij er voortdurend blijk van had gegeven de fijngevoeligheid van een olifant te bezitten. De laatste dagen van hun verblijf in Rome had ze een hardnekkige migraine voorgewend om maar zo weinig mogelijk met hem uit te hoeven. Ze werd op den duur letterlijk ziek van zijn opmerkingen. Gelukkig sloeg Nicolás de uitnodiging af; hij stelde voor om Alicia Villalba mee te nemen, maar ze antwoordde dat geen haar op haar hoofd daaraan dacht, dat ze niet van plan was bij de hele groep over de tong te gaan en dat ze dan nog liever alleen ging; maar dat bleek ook niet mogelijk, want aan de vooravond van het vertrek naar Mérida overleed haar moeder en ze kon en wilde zich niet onttrekken aan haar verplichtingen als dochter. Pas in het derde cursusjaar, in april 1964, kon ze eindelijk naar Yucatán. De groep van Marina Villalobos bestond uit twintig reizigers, onder wie Gianni Ferraris, die net als zij nog nooit op het schiereiland was geweest. Tijdens de vlucht naar Mérida zaten ze naast elkaar en de eerste dagen in Yucatán waren ze vrijwel onafscheidelijk. Het was buitengewoon plezierig met hem te praten, hem zijn familiegeschiedenis te horen vertellen en van zijn plannen te vernemen; zijn belangrijkste doelstelling was zich over een paar jaar in Italië te vestigen en er voor onbepaalde tijd te blijven. Nog interessanter was het om met hem door Mérida te wandelen en naar Uxmal en Chichén-Itzá te reizen en te luisteren naar zijn opmerkingen over de Mayakunst en naar zijn vergelijkingen met andere culturen. Tussen de schriften die ze in Cuernavaca had achtergelaten zat er één met commentaar van Ferraris op de meest uiteenlopende culturele, sociale en persoonlijke onderwerpen. Tijdens die reis raakte Jacqueline buiten zichzelf van enthousiasme over de Mayaruïnes, en ook van verliefdheid, want op een middag, toen ze in de bar van het hotel een kop koffie dronk, een paar ansichtkaarten schreef en op haar Italiaanse docent wachtte, met wie ze had afgesproken een wandeling door Mérida te maken en later in een restaurant, dat gespecialiseerd was in gerechten uit de streek, te gaan eten, leerde ze zuiver toevallig David Carranza kennen, een donkere, aantrekkelijke en elegante jongeman die in veel opzichten het tegenbeeld van Ferraris was. Hij ging naast haar zitten en ze raakten onmiddellijk in gesprek, waarbij hij zoveel indruk op haar maakte dat ze een paar minuten later samen het hotel verlieten en ze niet alleen met hem ging dansen maar hem bovendien uitnodigde de nacht met haar in hetzelfde bed door te brengen.

Ze kon nauwelijks slapen. Toen 's morgens vroeg de eerste zonnestralen de kamer binnenvielen, bekeek ze in verrukking het gezicht van de jongeman en verbaasde zich over de sensualiteit van zijn volmaakte mond; daarna streelde ze zachtjes over zijn behaarde borst, liezen, dijen en penis en gleed met haar lichaam tegen het zijne aan, zodat ze even later weer gestreeld, veroverd en gepenetreerd werd, en ze wist zeker dat de onbevredigende seksuele relatie met haar neef slechts een voorspel op de volheid van dit moment was geweest. Toen de groep op het punt stond terug te keren naar Mexico-stad, nodigde David Carranza haar uit samen een week naar Cozumel te gaan. Jacqueline belde haar man, verzon een warrig verhaal over de mogelijkheid de reis te verlengen en met een paar medecursisten naar Cozumel en misschien Isla Mujeres door te reizen en begaf zich met haar nieuwe minnaar naar het vliegveld.

Overdag lagen ze te zonnebaden en gingen ze zwemmen, 's avonds dansten en vrijden ze tot diep in de nacht en vielen volkomen uitgeput in slaap. Ze vertelde hem hoogstserieus over haar cursussen, over de reden voor haar bezoek aan Mérida, want ze wilde niet als een ordinaire gelukzoekster beschouwd worden. David luisterde geduldig en glimlachte beleefd, en zei ten slotte dat hij moest toegeven dat cultuur een zeer respectabel tijdverdrijf was, maar dat zijn werkelijke belangstelling op een ander vlak lag: de politiek. Hij had een baan bij het ministerie van Werkgelegenheid, een betrekking die hem als bron van inkomsten was aangeboden. Volgens zijn politieke peetvader hoefde hij zich alleen op betaaldagen op kantoor te laten zien, maar dat vond hij zelf geen juiste instelling, omdat hij het op korte én lange termijn beschouwde als een bedreiging van zijn politieke toekomst. Hij verscheen elke dag op het ministerie, zorgde ervoor dat hij regelmatig met zijn superieuren sprak, onderhield de beste betrekkingen met zijn collega's, vooral met Manuel de Gracia, zijn streekgenoot, die de bescherming genoot van dezelfde peetvader, maar in wie hij geen enkel vertrouwen had, en nam deel aan elk ambtenarenontbijt waar hij maar bij aanwezig kon zijn. Dat was zijn leven. Ook daar, op Cozumel, kocht hij alle kranten uit de hoofdstad die er te krijgen waren, las aandachtig de politieke commentaren en besprak die met haar, of liever gezegd, legde die haar van a tot z uit, terwijl ze op een ligstoel bij het zwembad lagen. Hij deed niets liever dan praten over het politieke en bestuurlijke leven van het land. Hij zou ook zonder juridische kennis hebben gekund, zei hij, maar zijn rechtenstudie had hem aan de benodigde relaties geholpen. Vanaf het moment dat hij uit zijn geboortestad Campeche in Mexico-stad was aangekomen, hield hij zich op de universiteit met politiek bezig. Een loopbaan als politicus was bepaald niet gemakkelijk. Hij vond het van belang dat een goede politicus de grootst mogelijke zorg aan zijn uiterlijk besteedde. Daarvoor moest hij, zodra hij uit bed kwam, minstens een uur hardlopen, drie keer per week naar de sportschool, en steeds nauwgezet geschikte kleding uitkiezen. Ook moest hij constant op zijn hoede zijn voor de mateloze ambities van bepaalde intriganten, zoals Manuel de Gracia, wiens gretigheid om hogerop te komen zo buitensporig was dat die alleen te vergelijken viel met zijn volslagen gebrek aan ethische principes. Jacqueline trok bij die opmerking zo'n bewonderend gezicht dat een buitenstaander had kunnen denken dat ze in het gezelschap van een politieke reus verkeerde. In de pauzes die hij haar toestond, vertelde ze hem zorgvuldig uitgekozen episoden uit haar leven, ze sprak over haar frustraties en kwellingen, over haar onbehouwen echtgenoot die anderen met een enkele minachtende opmerking kon kleineren en zich in feite nergens voor interesseerde. Kon hij zich iemand voorstellen, vroeg ze slim, die alles wat met het openbare leven te maken had verafschuwde, zelfs zozeer dat hij voortdurend herhaalde dat alle politici van de wereld, maar in het bijzonder die in Mexico, regelrechte boeven waren, zo niet de grootste stommelingen, en dat ze allemaal bij elkaar nog niet zoveel waard waren als één fatsoenlijk mens?

Ze zei de hele tijd tegen hem dat hij anders was dan alle mannen die ze had gekend; ze loog toen ze hem verzekerde dat ze haar man voor het eerst ontrouw was, en ze vond het heerlijk dat David zich tijdens het vrijen net zo grof en ongeremd gedroeg als Nicolás Lobato. Plotseling verdwenen dan de fluweelzachte toon in zijn stem, de elegante gebaren, de dorre zinnen waarin hij haar geduldig informeerde over elke stap die hij nam om het politieke podium te betreden; dan kwam het roofdier in hem naar boven. En wat voor roofdier!

Vanaf het eerste moment was ze zich bewust geweest van de buitensporige ijdelheid van de jonge charmeur. Elke vrouw, zelfs met een minimum aan intelligentie, kon hem uit haar hand laten eten, zei ze bij zichzelf. Daarvoor hoefden ze alleen maar een constante bewondering en belangstelling voor te wenden. Bewondering had ze wel, belangstelling voor wat hij zei, niet. Na twee of drie pogingen tot een gesprek aanvaardde ze gelaten dat ze van hem niet kon eisen dat hij net zo openstond voor cultuur als zij. Toch merkte ze ook dat als ze in een bar of restaurant met andere stellen een gesprek aanknoopten, hij haar graag hoorde praten over Maya-archeologie, boeken of muziek, alsof het een wereld was die hen nauw met elkaar verbond, iets wat haar veel voldoening gaf en haar zijn tekortkomingen op die gebieden deed vergeven.

Terug in Mexico-stad zetten ze hun relatie voort. David had, zo vertelde hij haar, kort na zijn terugkeer uit Cozumel een baan aangeboden gekregen op de Mexicaanse ambassade in Rome. Hij was niet van plan die aan te nemen, omdat hij zich niet te ver wilde verwijderen van waar zijn werkelijke belangen lagen. Hij had geen zin om in ballingschap te gaan. Hij werkte mee aan het verkiezingsprogramma van een senator die het gouverneurschap van zijn staat ambieerde. Hij moest, samen met een team van medewerkers uit de meest uiteenlopende disciplines, een actieplan opstellen; een moeilijke opgave, liet hij energiek weten, want het ging niet alleen om het uitstippelen van een paar beleidslijnen, maar om een heus regeringsprogramma. Iemand, vanzelfsprekend zijn politieke pleegvader, had de onuitstaanbare Manuel de Gracia in het team opgenomen weten te krijgen, en die liet geen gelegenheid onbenut om met de eer te gaan strijken en terloops het werk van de anderen in een kwaad daglicht te stellen. Ze begreep niet wat hij daar precies mee bedoelde; maar zijn volgende woorden begreep ze des te beter: de bewuste senator had beloofd dat hij, als zijn kandidatuur eenmaal vaststond, hem een baan als adviseur van de hoogste marineofficier op het ministerie van Defensie zou bezorgen. Toen volgden er twee of drie onverklaarbare tegenslagen. Niet alleen kreeg hij het begeerde adviseurschap niet, maar om duistere redenen, waarbij hij alleen zeker wist dat het iets te maken had met de slinkse bemoeienis van Manuel de Gracia, raakte hij ook de bescherming van de senator kwijt, evenals die van zijn politieke peetvader, en dientengevolge ook zijn baan op het ministerie van Werkgelegenheid, waar hij, zo liet hij zich in een onbewaakt ogenblik ontvallen, alleen op betaaldagen was komen opdagen om zijn salaris te innen.

Op een regenachtige middag, toen ze in het sobere en onpersoonlijke appartement van David Carranza in de wijk Condesa langdurig en wellustig hadden gevrijd, verzekerde Jacqueline hem duidelijk opgewonden dat zijn tegenslagen voortkwamen uit het feit dat hij te edelmoedig was en dat hij zijn grootsheid eenvoudigweg niet kon verhelen, wat ongetwijfeld de afgunst en de wraakzucht wekte van dat weer-zinwekkende stelletje middelmatige, gefrustreerde, overambitieuze en verbitterde lieden die hem om-ringden, een verklaring die Carranza niet helemaal scheen te overtuigen; hij moest kapitaal achter de hand hebben, voegde ze eraan toe, zodat hij zich vol-ledig op de verwezenlijking van zijn dromen kon storten en zijn tijd niet hoefde te verdoen als advi-seur van wie dan ook; hij zou bijvoorbeeld op een krant moeten kunnen rekenen, die hem hielp zijn persoonlijkheid beter voor het voetlicht te brengen. Het was niet rechtvaardig dat een handjevol smeer-lappen alles bezat en tegelijkertijd neerkeek op men-sen die zich inspanden om de politiek een beter aan-zien te geven. Nee, dat was niet rechtvaardig, hij mocht ertegenin brengen wat hij wilde, hij zou haar niet overtuigen. Sinds ze hem had leren kennen – ze sprak alsof ze een litanie opdreunde – had ze de hele tijd moeten denken dat als haar man zou overlijden, zij, als universeel erfgename, over het benodigde ver-mogen zou beschikken hem te helpen in aanzien te stijgen, ze kon er dan toe bijdragen anderen te laten zien tot welke grootse daden David Carranza in staat was. Ze herhaalde de verleidingscampagne die ze bij haar neef Gaspar gevoerd had. Tot haar verbazing én haar vreugde hoefde ze geen enkele weerstand te overwinnen. De toekomstige politicus nam na een uiterst kort moment van verbazing de opdracht Nico-lás Lobato uit de weg te ruimen aan alsof het de ge-woonste zaak van de wereld was.

'En dan te bedenken dat ik je man niet eens ken!' riep hij uit. 'Maar dat doet er niet toe, we moeten deze kwestie uiterst secuur aanpakken; gebruikmaken van een huurmoordenaar lijkt me de minst raadzame oplossing. Ik denk niet dat belangenverstrengeling verstandig is; elke professionele killer met wie we in contact treden, zou ons op een gegeven moment proberen af te persen, te chanteren, en dan zouden we uiteindelijk in de goot belanden, zo niet op het kerkhof. Het is geen gemakkelijke opgave. We zullen op onze eigen middelen moeten vertrouwen, hem overhoop rijden, wurgen of zoiets... Het zou handig zijn als we iemand anders als mogelijke dader kunnen opvoeren, Manuel de Gracia bijvoorbeeld. Hoe sneller we handelen, hoe beter!'

'We hebben een pistool nodig,' zei Jacqueline, alsof ze een klein kind instructies gaf. De toon van haar stem en haar gedrag leken in die tijd vaak op die van een actrice in een didactisch stuk. 'Het feit dat je mijn man niet kent werkt in je voordeel. Verder weet niemand dat ik jou regelmatig bezoek. Er is niemand die jou met mij of Nicolás in verband brengt of zal brengen. Ik zal je het huis binnenlaten, dan doen we net of het om een roofoverval gaat. Kun je met een pistool overweg? Ik laat mijn auto voor de deur staan en geef je de sleutels zodat je gemakkelijk kunt ontsnappen; laat de auto maar ergens achter. Ik zorg ervoor dat er die dag geen personeel in huis is. Ik zal je leiden, David. Vertrouw op mij. Er ligt een geweldige toekomst vóór je; ik wil aan je zijde staan op de belangrijke podia die voor je in het verschiet liggen.'

'En hoe lappen we die klootzak van een Gracia er dan bij?'

Het antwoord was steeds hetzelfde: 'We moeten

die gluiper vergeten. Elke bijkomende complicatie kan onze ondergang betekenen.'

Net als bij haar vorige liefdesavontuur bracht Jacqueline de nachten door in een soort erotisch delirium. Ze bedreef thuis zo onstuimig en vertwijfeld de liefde dat Nicolás Lobato er versteld van stond en ervan overtuigd raakte dat hij nooit genoeg van haar kreeg, dat zij, wat er ook mocht gebeuren, altijd de vrouw van zijn leven zou blijven, de ware, de enige, dat hij zich elk jaar inniger met haar verbonden voelde en dat zij elke dag weer bewees dat ze onbetwistbaar boven iedere andere vrouw die hij kende verheven was.

's Morgens ging ze zoals altijd naar de academie.

Na het eten bracht Jacqueline een deel van de middag door in het appartement van haar minnaar. Ze hadden besloten misdaadromans te gaan lezen om de laatste hand te leggen aan de details. Maar dat werkte niet bij hem. Hij las afwezig een paar bladzijden, pakte dan de krant, vroeg haar naast hem te komen liggen en begon de politieke hoofdartikelen voor haar te ontcijferen, die bijna altijd iets anders betekenden dan zij dacht. Terwijl hij las en de tekst van commentaar voorzag, maakte zij alvast zijn gulp, hemd en broekriem los en ze gaven zich na het voorlezen, of soms zelfs halverwege al, als twee bronstige tijgers over aan de liefde. Jacqueline probeerde dan iets van haar haat jegens Nicolás Lobato op hem over te brengen en er zo voor te zorgen dat hij buiten de liefdesdaad om aan niets anders dacht dan aan het misdrijf. Tegelijkertijd speelde het door haar hoofd dat ze de echtgenote van een toekomstig gouverneur zou worden en ze vroeg zich af welke kleren ze nodig zou hebben, welke sieraden ze kon kopen en ook – dat sprak vanzelf! – welke sociale en culturele projecten ze kon ontwikkelen. Ze was op een gevaarlijke manier gaan geloven in de argumenten die ze tegenover David gebruikte om zijn wilskracht te sterken. Ze zou Márgara en professor Ferraris als regeringsadviseurs benoemen, en dan liet de laatste vast en zeker de afstandelijke houding varen die hij tegenover haar had aangenomen sinds ze hem in Mérida een blauwtje had laten lopen.

Eindelijk betrokken Jacqueline en Nicolás het huis in Polanco. Ze had de hoop dat het nog eens zou gebeuren al opgegeven, zo vaak waren de restauratiewerkzaamheden onderbroken. Nicolás wilde overal zelf voor zorgen, de nieuwe meubels, de inrichting, het vervoer; zij hoefde alleen haar koffers te pakken en te verhuizen. Ze trof er iets aan waar ze altijd al naar verlangd had, een prachtige werkkamer voor zichzelf. Ze zag het als een gunstig voorteken: in de toekomst, als echtgenote van een vooraanstaand politicus, zou die werkkamer onontbeerlijk zijn. Ze was ook blij dat ze weer een gemeenschappelijke slaapkamer hadden. Ze had meer dan genoeg van aparte slaapkamers. De verhuizing bood haar de gelegenheid erachter te komen waar Nicolás zijn pistool bewaarde en zich er meester van te maken. Meteen toen ze hun intrek in het nieuwe huis hadden genomen, verborg ze het achter een paar boeken in een van de boekenkasten in haar werkkamer. Als Nicolás Lobato zich probeerde te verdedigen, zou hij het daarvoor benodigde wapen niet vinden.

Op de bewuste avond zou ze drie pilletjes met een hoge dosis valium door Nicolás' eten mengen. Na het resultaat van de lijkschouwing zou ze verklaren dat haar man altijd kalmeringsmiddelen innam alvorens naar bed te gaan en dat ze de indruk had dat hij die de laatste tijd overmatig gebruikte. Enkele dagen voor de verhuizing had Jacqueline tegen Elena, de kokkin, gezegd dat ze haar vakantie op kon nemen zodra ze het nieuwe huis hadden betrokken. Ze dacht dat het goed zou zijn als het andere meisje, dat voor de kleren en de was zorgde, in huis bleef om als getuige te dienen van de overval, waar ze overigens pas van zou horen als alles al voorbij was.

Eindelijk brak het langverwachte moment van de bevrijding aan. Jacqueline lag bij het licht van haar bedlampje te lezen in *Les liaisons dangereuses* van Choderlos de Laclos, een boek dat juist op de cursus over de roman werd bestudeerd. Ze zag hoe Nicolás in slaap viel. Dat deed hij even gemakkelijk als altijd, misschien sliep hij nu nog wel dieper dankzij het slaapmiddel. Ze stond op en opende de tuindeur en de voordeur zodat David probleemloos naar binnen kon. Als het zover was, zou ze hem een teken geven dat hij naar boven kon gaan om haar man te vermoorden. Ze keerde terug naar haar kamer; en tegen alle afspraken in, ondanks de opwinding van het moment en het boeiende boek waarin ze lag te lezen, viel ze in slaap. Plotseling schrok ze wakker. Ze zag Nicolás zoeken in een la van de commode. Het pistool! dacht ze, en ze vertrok haar mond tot een sardonische grijns. Hij kwam naar het bed en fluisterde dat ze zich niet moest bewegen en niets moest zeggen, er was kennelijk iemand het huis binnengedrongen, maar hij zou de dief vóór zijn en hem verrassen. Ze sloot haar ogen, de heftige gevoelens werden haar te veel, ze wilde niets weten, niets horen, niets zien. 'Laat de doden hun doden begraven!' prevelde ze, zonder te weten of het voor dat moment wel het passende citaat was. Ze was ervan overtuigd dat David zich wel zou weten te redden, ook al verliep niet alles volgens plan, dat ze over een paar minuten weduwe zou zijn en dat ze, ondanks de moeilijke omstandigheden, nog altijd een goede vrouw was, die uit liefde en zelfrespect gedwongen was zo te handelen. Ze wilde juist de lijst met grieven nog eens doornemen toen ze plotseling haar ogen opende en zag dat Nicolás, god mocht weten waarvandaan, een ander pistool tevoorschijn had gehaald, met een loop die veel langer was dan die van het wapen dat zij verstopt had, en dat hij aanstalten maakte de kamer te verlaten.

Nicolás zou David Carranza hoogstwaarschijnlijk verrassen en op hem schieten of, wat nog erger was, hem aan de politie overleveren. Haar minnaar zou jarenlang in de gevangenis moeten doorbrengen. Misschien zou zij ook wel bij het proces betrokken raken. In paniek sprong ze uit bed. Ze moest de arme jongen waarschuwen, die in zijn eentje in de woonkamer stond te wachten op een teken van haar om naar boven te gaan en de bruut uit de weg te ruimen. Met een zware vaas in haar handen rende ze in het halfduister naar de trap. Ze krijste als een gek. De stem van Nicolás, die haar toesiste stil te zijn, gaf aan waar hij zich bevond en zo kon ze de vaas op zijn hoofd kapotslaan, waarbij ze aan één stuk door schreeuwde: 'Help! Houd de dief! Help! Houd de dief!'

Op dat moment klonk een schot en toen nog een en nog een. Ze had geen idee uit welk pistool ze kwamen. De verwarring was compleet. Doodsbang rolde ze over de vloer en klemde zich vast aan het been van haar man; toen merkte ze dat ze niet kon schreeuwen, dat ze gehinderd werd door een felle pijn in een deel van haar lichaam dat ze niet goed wist te lokaliseren, dat ze elk moment kon gaan overgeven.

Toen het weer licht werd, lag ze opnieuw in een bed van het aloude ziekenhuis. Het was dag. Haar hand zat in het verband. Een verpleegster zei dat ze zich geen zorgen hoefde te maken, ze was twee vingers kwijt, maar binnen een paar weken werden er een paar veel mooiere aangezet, haar hand zou weer prachtig worden, let maar eens op, nog beter dan eerst. Nicolás probeerde haar te kalmeren door eraan toe te voegen dat hij er geen moment aan twijfelde dat ze de dief binnenkort zouden arresteren en haar auto terugvinden. Die ochtend hadden ze op het politiebureau tegen hem gezegd dat ze een brief hadden waarin de schuldige werd genoemd, een zekere De la Gracia als hij het zich goed herinnerde, het scheen een of andere politicus te zijn. De man werd in de gaten gehouden; ze wilden weten met wie hij in contact stond, maar ze konden hem elk moment achter de tralies zetten. Jacqueline zag dat ook haar man er niet helemaal ongeschonden van af was gekomen; hij had een verband om zijn hoofd.

'Ik had nooit gedacht dat ik zo'n wilde vrouw had!'

zei de idioot. 'Maar je hebt je vergist, *sister*, je hebt mij geslagen, omdat je dacht dat ik de inbreker was.'

Jacquelines ogen vulden zich met tranen. Ze vond dat ze te veel geleden had. Had het nog enige zin verder te leven? Ze weigerde naar haar hand te kijken die in een indrukwekkend verband zat. Twee vingers! Welke zouden het zijn? De tranen stroomden over haar gezicht, dat star was als dat van een dode. Ze herinnerde zich dat ze de vorige avond een interessant boek had liggen lezen, een brievenroman, dat ze schoten had gehoord en dat ze op dat moment in slaap was gevallen.

VIER

Het was 1968, mei om precies te zijn. Jacqueline keek uit het raam en haalde diep adem; ze stelde zich voor dat haar longen zich met jodium vulden. Er waren vier jaar verstreken sinds ze duim en wijsvinger van haar linkerhand was kwijtgeraakt. Door de aangebrachte prothese had ze voortdurend een loodzwaar gevoel in haar hand en kwam elke beweging haar onbeholpen voor.

'We waren allemaal heel hard aan vakantie toe, dat is een ding dat zeker is,' zei ze tegen de kokkin, die ze speciaal had laten overkomen. Jacqueline deelde die ochtend op harde en automatische toon bevelen uit, bijna zonder te letten op wat ze zei. Ze droeg de kokkin op om de langoustines te koken en ze meteen daarna te pellen; ze voegde eraan toe dat ze de selderij voor de salade in kleine stukjes moest snijden, de kippensoep klaarmaken en twee flessen witte wijn in de koelkast zetten. Daarna herhaalde ze dat ze deze vakantie aan zee echt heel hard nodig had. De woorden kwamen traag uit haar mond, alsof het een enorme inspanning kostte om ze uit te spreken. Ze liep voortdurend heen en weer, zei nogmaals met schelle stem dat de langoustines in kleine stukjes gesneden en met de selderij vermengd moesten worden, dat ze koude witte wijn bij de salade zouden drinken, maar dat vanzelfsprekend eerst de kippensoep moest worden opgediend. Ze opende en sloot onophoudelijk de koelkast totdat ze ten slotte bij het raam ging staan, alsof ze zich de aanblik van de tuin en de zee niet wilde laten ontgaan.

Nicolás had dit afgelegen huis niet ver van Pie de la Cuesta gehuurd; de dokter had haar een stille plek, bij voorkeur aan zee, veel geestelijke rust, een beetje tv en de nodige lichaamsbeweging voorgeschreven.

'Mijn god! Wat is dat? Wat is er gebeurd?' riep ze plotseling uit en richtte haar ogen strak op de klok. 'Zeg op! Wat was dat?' Het dienstmeisje keek haar volkomen uitdrukkingsloos aan. 'Alsjeblieft, Elena, kijk me niet zo aan, ik heb al duizend keer gezegd dat je me niet nog nerveuzer moet maken dan ik al ben. Ik dacht dat ik een schot hoorde. Heb jij iets gehoord?' En zonder op antwoord te wachten schoot ze de keuken uit, rende de eetkamer door tot in de tuin en zag haar man languit op de tegels naast het zwembad liggen. Het was twee minuten over twaalf. Alles had zich met de precisie van een uurwerk voltrokken. Ze deed of ze verbaasd, geschrokken, verdrietig was; maar ze kwam plotseling tot de ontdekking dat niet alles geveinsd was, dat haar gezicht nat was van tranen, dat ze Nicolás in werkelijkheid nooit gehaat had, dat het een enorme vergissing was, dat ze Adolfo, het jonge, achterlijke acteurtje dat besloten had het misdrijf te plegen, nooit meer in de ogen kon kijken. Toen ze naast haar man neerknielde, moest ze aan zijn vrijgevigheid en edelmoedigheid denken en tegelijk aan bepaalde onaangename grillen en onbegrijpelijke krenterigheid van de acteur met wie ze sinds ruim zes maanden een verhouding had.

Plotseling richtte Nicolás zich met een verbaasde uitdrukking op zijn gezicht op. Op datzelfde moment klonk het schot. Jacqueline probeerde iets te zeggen, maar de pijn belette haar het spreken, ze had niet eens tijd een kreet te slaken, ze zakte aan de voeten van Nicolás Lobato in elkaar; de kogel had zich in haar rechterschouder geboord.

Alsof dat allemaal al niet pathetisch genoeg was, sloeg ze in het ziekenhuis van Acapulco, terwijl ze kort voordat ze naar de operatiekamer werd gebracht een kalmerende injectie kreeg toegediend, haar ogen op, keek haar man aan en fluisterde met onzekere, diepbedroefde stem: 'Dus het is je eindelijk gelukt om van me af te komen...?' En daarna viel ze in slaap.

VIJF

Sinds haar studententijd had ze een diepe afkeer van de maand maart. Op de vijftiende was ze jarig. Ze verafschuwde haar sterrenbeeld: Vissen, natuurlijk. Ze had al vaak gedacht dat de betreurenswaardige momenten in haar leven te wijten waren aan de invloed van dat onheilspellende sterrenbeeld op haar lot.

Op 15 maart 1974 werd Jacqueline vijfenveertig. In aansluiting op Márgara's cursus, die gewijd was aan *De gedaanteverwisseling*, had de academie ter ere van haar in het geheim een feestje voorbereid. Ineens merkte ze dat professor Ferraris naast haar stond, die bijna geen woord meer tegen haar had gesproken sinds de gedenkwaardige reis naar Yucatán, waar ze die jeugdige dwaas David Carranza had leren kennen, die ze overigens na de mislukte moordaanslag op Nicolás Lobato nooit meer had gezien. In de afgelopen tien jaar had ze ook zijn naam nooit horen noemen of in de krant zien staan. Het was duidelijk dat die jongeman met zijn enorme ambities en beperkte verstand niet de politieke carrière had gemaakt waar hij zo van droomde.

Ferraris gaf eerst een minutieuze analyse van het sterrenbeeld Vissen; hij had het over haar artistieke neigingen, haar obsessies, haar onmiskenbare deugden, over de risico's die ze nam en de beloning ervoor, en zij, die zijn afstandelijkheid jarenlang met dezelfde houding had beantwoord, was verrast en vertederd door zijn onverwachte spraakzaamheid. Geen twijfel mogelijk, alles wat hij zei was waar. Ze zou er haar leven voor hebben gegeven om onder het teken van Leeuw of Stier geboren te zijn, sterk, vastberaden, onverbiddelijk. Vanzelfsprekend zei Jacqueline tegen niemand hoe oud ze nu geworden was. Wie haar zag zou onmogelijk haar werkelijke leeftijd kunnen raden. Ze had zichzelf niet verwaarloosd: twee keer per week een massage, een goed uitgebalanceerd dieet, elke ochtend oefeningen, op zaterdag en zondag zwemmen in Las Palmas, en ingevlochten vals haar dat niet van haar eigen haar te onderscheiden was. Wie haar van vroeger kende zou hebben gezworen dat op haar vijfendertigste de tijd stil was blijven staan en dat ze er zelfs nog beter uitzag dan toen. Ze zocht met haar blik naar een spiegel, maar vond er geen. Ze voelde zich plotseling onrustig worden. Ze moest naar de badkamer om haar gezicht te bekijken. Er was niets ongewoons aan te zien. Toen ze vervolgens naar de tuin liep, werd ze opnieuw overspoeld door een golf van droefheid. Een overweldigend gevoel van leegte. 'Al die jaren verstreken in volstrekte zinloosheid!' prevelde ze voor zich uit. Ze kon gewoon niet begrijpen wat ze met haar leven gedaan had. Wat was er met haar gebeurd? Soms dacht ze dat ze beter een gat midden in haar hand kon hebben dan die twee aangezette vingers die ze maar moeilijk kon bewegen. Ze had ook een operatie ondergaan aan haar rechterschouder. Ze kon wel schrijven, maar slechts heel langzaam; als ze at, merkte niemand dat ze in haar bewegingen gehinderd werd. Bovendien was ze aan haar intieme delen geopereerd, aan cysten. Ze wist zeker dat de wilskracht waar ze zo trots op was vooral voortkwam uit een onwankelbaar geloof in de cultuur. Ze bleef hardnekkig, jaar in jaar uit, de cursussen in het huis van Márgara Armengol volgen. Herhaaldelijk had ze horen spreken over Stendhal, Flaubert, Dostojevski en Tolstoj, over Proust en Kafka, over Woolf, Borges en vele andere schrijvers, al kon ze zich niet altijd goed herinneren wat hun stijlkenmerken waren. Ze las de boeken die de docenten in de les behandelden, maar echt leergierig was ze niet; als een docent twee of drie opeenvolgende jaren dezelfde cursus gaf, merkte ze het nauwelijks. In elke les maakte ze aantekeningen en schreef hele schriften vol, die ze dan in een la van haar bureau of ergens anders bewaarde zonder er ooit nog een blik in te werpen. De contacten op de academie van Márgara Armengol en de economische voorspoed van Nicolás Lobato hadden haar benijdenswaardig ongedwongen gemaakt. De reizen naar Europa en New York, die ze zich in die tijd vrijwel jaarlijks kon veroorloven, de boeken die ze las, de regelmatige gesprekken met kosmopolitische en ontwikkelde mensen hadden haar een zelfvertrouwen gegeven dat ze tot dan toe nooit had gekend. En zelfs haar manier van kleden was, hoe onvoorstelbaar dat ook mocht lijken, verfijnder geworden. Op de academie richtte ze haar aandacht vooral op de workshop creatief schrijven. Ze schreef verhalen. Het thema was altijd hetzelfde; ze schiep een persoonlijke wereld waarin de hoofdfiguren meestal vrouwen waren die op haar zussen leken; ze beschreef hun kleine beslommeringen, hun banale dromen, de wrok die een waas voor hun ogen bracht en hun dag bedierf zodra ze aan hun succesvolle zus werden herinnerd, hun treurige leventje dat gekenmerkt werd door truttigheid, frustratie en verveling. Jacqueline beschouwde vanuit een verheven standpunt die nietige personages. Ze was de enige van het gezin geweest die de armoede voorgoed achter zich had weten te laten. Telkens wanneer María Dorotea en María del Carmen dachten dat ze zich ervan hadden losgemaakt, waren ze er al snel weer in beland. Ze schreef in de weekeinden onder weelderige palmen, want Nicolás had in de tuin een kleine werkruimte voor haar laten bouwen. Haar werktafel stond voor een groot raam dat omlijst werd door bougainvilles in verschillende kleuren. Midden in deze hof van Eden dook ze onder in de sombere, ellendige wereld waarin haar zussen gevangen zaten. Over het algemeen schreef ze elke tien maanden een verhaal, dat wil zeggen de tijd die de cursus duurde.

Af en toe zei ze bij zichzelf dat ze dol was op Nicolás, die op zijn vijftigste het indrukwekkende air van een succesvol zakenman had verworven. De officiële opening van zijn hotelcomplex was indertijd in de toeristenbranche beschouwd als een gebeurtenis van nationaal belang. Behalve de gouverneur van Morelos waren er twee of drie ministers, enkele afgevaardigden uit de financiële wereld, vertegenwoordigers uit de hoogste maatschappelijke kringen en een hele zwerm journalisten aanwezig geweest. Nicolás had een geweldig feest gegeven. Jacqueline droeg een schitterende jurk die ze speciaal voor de gelegenheid in New York had gekocht, een juweeltje: een japon van doorzichtige koraalrode stof met een diep decolleté, kort van voren en met een kleine sleep van achteren. Het was een verschrikkelijke dag geworden. In Cuernavaca, waar het meestal alleen 's nachts regent, was plotseling een harde, cycloonachtige storm opgestoken, gevolgd door een urenlang onweer met hagel. Er werden paraplu's geopend om de gouverneur, Nicolás, haar en enkele van de vooraanstaande gasten te beschermen. Maar desondanks was ze doorweekt geraakt; haar dunne jurk had tot gevolg gehad dat ze de daaropvolgende twee weken met hoge koorts in bed had gelegen.

Zelfs als het op de dag van de opening stralend weer was geweest, zou ze vast minder van die plechtigheid hebben genoten dan van het feestmaal waarmee Márgara Armengol besloten had haar verjaardag te vieren. Ze ging terug naar de tuin, waar de vier of vijf docenten van de academie zich inmiddels verzameld hadden met haar medecursisten en enige oudcursisten, die uitsluitend gekomen waren om haar te feliciteren. Op het terras was een tafel met broodjes en drank neergezet. Ontroerd kneep ze haar ogen dicht en liet zich in een hangmat vallen; ze zou op de grond terechtgekomen zijn als een hand haar niet had opgevangen. Ze voelde zich draaierig, gespannen, bedroefd, ze herinnerde zich dat jaren geleden, toen ze al haar vingers nog had, een handlezeres tegen haar had gezegd dat haar emotionele evenwicht ernstig verstoord zou worden door een ongeluk waarbij ze de vingers van een hand zou verwonden, vooral haar wijsvinger en middelvinger. Het waren niet direct de vingers die ze bij de schietpartij was kwijtgeraakt, maar toch... Ze voelde zich misselijk en kreeg zin om te huilen en voor altijd van deze wereld te verdwijnen. Het gevoel duurde maar even. Toen ze haar ogen opende had ze zich alweer hersteld. Naast haar bevond zich opnieuw professor Ferraris.

Ze voelde zich plotseling verlegen worden. Ze wist niet wat ze moest zeggen; ze begon verdwaasd te praten over de reis naar Yucatán, over de dagen waarop ze, nadat ze in Mérida uit elkaar waren gegaan, op Cozumel was geweest. Plotseling stak ze haar verminkte hand naar hem uit en liet hem de twee stijve, bleke kunstvingers zien. Op neutrale toon, als van iemand die de ergste verschrikkingen heeft doorstaan, verklaarde ze: 'De prijs die ik heb betaald voor mijn vlucht naar dat vervloekte eiland.'

'Een haai?' zei hij geschrokken.

'Zo zou je het kunnen zeggen. Ik heb meerdere specialisten moeten raadplegen. U had me voor die dwaasheden moeten behoeden.' Ze sprak zo vol vuur dat ze zelf ontroerd raakte. 'Ik ben van de ene arts naar de andere doorverwezen. En ik ben net klaar met een sessie bij een psychiater, mijn eerste overigens, een terugkeer naar het verleden, om het zo maar eens uit te drukken, en nu probeer ik op eigen kracht verder te komen.'

Ongetwijfeld liet ze zich bij het volgen van deze gedragslijn leiden door haar intuïtie. Ze nam de kunstdocent aandachtig op. Hij was erg veranderd sinds ze hem had leren kennen. Er waren wat dingen bijgekomen: een paar witachtige vlekjes bij zijn slapen, een met zorg geknipte baard, een strakke blik waarin niettemin een vleugje onrust te bespeuren viel. Er bleef een kelner met een schaal broodjes bij hen staan en een andere kwam met drankjes aanlopen.

'Ik mag alleen frisdrank of vruchtensap drinken.' Hij legde enigszins omslachtig uit dat hij sinds een tijdje leefde op anxiolytica en antidepressiva. Jacqueline zei dat ze die eerste nog nooit voorgeschreven had gekregen. Ze wist zelfs niet goed wat het was. 'Het is iets nieuws, dat hebben ze tenminste tegen me gezegd. We moeten onze angst voor de chemie overwinnen. Het zijn geneesmiddelen om paniekaanvallen te bestrijden,' voegde hij eraan toe.

'O ja?' vroeg Jacqueline, een beetje angstig, vastbesloten om van onderwerp te veranderen en als het mogelijk was ook van plaats. Ze had het idee dat het gesprek een te vertrouwelijke wending had genomen, en dat zij als ze zo doorgingen, spontaan als ze was, over de cysten zou beginnen die ze uit haar intieme delen hadden weggesneden. Er was intussen al zoveel in haar leven wat ze moest verbergen, dat ze er bij minder gevaarlijke onderwerpen zomaar als een dwaas op los kon gaan kletsen. Maar hij gunde haar geen tijd voor een terugtocht en vervolgde zijn uiteenzetting met het opsommen van enkele van zijn tegenslagen. Hij vertelde dat hij van Italiaanse afkomst was, iets wat ze heel goed wist, dat hij de taal van zijn ouders eerder had geleerd dan het Spaans en dat hij zich zijn leven lang een Italiaan had gevoeld die zich om niet geheel duidelijke redenen in Mexico had gevestigd. Hij had zijn Italiaans geperfectioneerd op het Italiaanse Cultuur Instituut en was afgestudeerd in de Italiaanse letterkunde; vanzelfsprekend las hij de meeste boeken in het Italiaans. Was het dan vreemd dat volgens hem Italië het land was waar hij eigenlijk thuishoorde?

'Een jaar of vier geleden ben ik naar Milaan verhuisd. Misschien is mijn afwezigheid u niet eens opgevallen,' zei hij enigszins verbitterd. 'Ik meende dat het moment gekomen was me te vestigen in het land dat ik als het mijne beschouwde en daar mijn academische loopbaan voort te zetten. Na een paar maanden kwam ik tot de ontdekking dat het geen zin had; de kringen waarin ik verkeerde waren, helaas, niet bepaald de hoogste. Toen ik na een paar jaar nog altijd geen voet aan de grond had gekregen, besloot ik terug te keren naar Mexico; ik besefte ineens dat Mexico, of ik dat nu leuk vond of niet, de enige plek was die ik goed kende en waar ik iets kon bereiken. In Milaan en in elke andere stad in Italië zou ik altijd een onbekende blijven. Ik had er mijn verdere leven kunnen wegkwijnen. Daarom keerde ik terug. Ik schreef me opnieuw in aan de universiteit en hervatte mijn cursussen in het huis van de vriendschap en de kennis dat door onze geliefde Márgara is opgericht. En hier ben ik; ik ben zo vrij u te laten weten dat de man die is teruggekeerd niet dezelfde is als de man die vertrok in de absurde illusie dat hij de wereld wel eens eventjes met huid en haar zou verslinden. Maar Mexico vergeeft niet, waarde vriendin, nee, Mexico vergeeft niet. Een paar weken na mijn terugkeer ben ik het slachtoffer geworden van een zenuwstoornis, een onbegrijpelijke ziekte die me sindsdien geen moment rust gunt. Het had niet veel gescheeld of ik was gek geworden, dat zweer ik u. De eerste crisis overviel me volkomen onverwacht. Ik voelde me in bezit genomen door een vreemde, destructieve, afschuwelijke kracht die met alles spotte wat ik tot dat moment geweest was en me meedogenloos elke kans op verbetering ontzegde. Die nacht was de hel. Ik wist dat ik het slachtoffer was van een duistere ziekte, maar moest tegelijk toezien hoe de waanzin een weerloze man overmeesterde. Een heuse gespleten persoonlijkheid, ik zweer het u. Verveel ik u soms met mijn ontboezemingen, waar ik, dat kan ik u verzekeren, over het algemeen niet mee te koop loop?' vroeg hij plotseling op onvriendelijke toon. De kringen om zijn ogen waren zo donker dat het leek of hij een masker droeg waarachter een paar krankzinnige ogen glinsterden.

'Als er hier iemand is die u kan begrijpen, ben ik het wel, dat mag u niet vergeten,' antwoordde Jacqueline. 'U kunt zich niet voorstellen wat ik allemaal heb meegemaakt...'

'Sinds die nacht heb ik het gevoel dat ik door angst achtervolgd word,' ging Ferraris verder, die zich kennelijk niet interesseerde voor wat zij had meegemaakt. 'Ik heb een psychotherapeut opgezocht, die me geholpen heeft verder te leven; dankzij hem ben ik uit een diep dal omhooggeklauterd, wat nog lang niet betekent dat ik me nu weer helemaal goed voel. Sindsdien, en misschien is dat wel voor altijd, blijft mijn lichaam slechts met behulp van de chemie overeind. De gedachte plotseling met medicijnen te stoppen vind ik angstaanjagend, ik ben bang dat ik dan onherroepelijk te gronde ga. Ik leef in de voortdurende angst dat de crisis terugkeert, en de gedachte dat de doorstane verschrikking me op een volkomen onverwacht moment weer kan overvallen, laat me niet met rust. De eerste uren na het middageten zijn het ergst. Wat een rusteloosheid, mijn god, wat een rusteloosheid! Op die momenten lijkt het wel of er een leger mieren door mijn toch al meer dan verzwakte zenuwen trekt...'

Hij zweeg. Jacqueline kon geen passend antwoord bedenken. Ze kon alleen maar naar het gezicht van de kunstdocent kijken, dat door het lijden getekend was, en naar zijn verslagen en angstige blik. Ten slotte antwoordde ze vol overtuiging: 'U kunt me altijd bellen als u zich angstig voelt, als u denkt dat u me nodig hebt of gewoon als u daar zin in hebt. Bel uw vrienden op. Bel mij op. Misschien kan dat ons allebei helpen.'

Vanaf die dag telefoneerden ze regelmatig met elkaar. Later besloot ze hem op te zoeken en begonnen ze aan een vruchtbare uitwisseling van hun verdriet. Ze praatten door elkaar heen en begrepen elkaar niet, ze wisten alleen dat ze elkaar nodig hadden. Samen bezochten ze een vrouwelijke wonderdokter die met rauwe eieren over hun bovenlichaam streek, daarna de eieren brak en verklaarde dat beiden, maar vooral hij, waren bespuugd met de afgunst van kwaadwillende lieden; ze onderwierpen zich aan yogaoefeningen en acupunctuurbehandelingen, namen deel aan tarotzittingen en lieten hun horoscoop trekken, en het kwaad begon te wijken. Bijna ongemerkt gingen ze op een dag met elkaar naar bed, alsof het gewoon een volgende oefening was om de demonen waardoor ze bezeten waren uit te drijven. De middag waarop ze elkaar voor het eerst uitkleedden, was ze stomverbaasd over de onaangename geur die het lichaam van de docent uitscheidde en over zijn smoezelige ondergoed. Ongelooflijk! Nog diezelfde dag nam ze zich voor om hem te helpen die onhebbelijkheid af te leren. Haar leven, dacht Jacqueline, had weer zin. Ze beminde en ze werd bemind. Het eerste wat ze moest doen was haar minnaar zijn zelfvertrouwen teruggeven. Op een zomerse zaterdag hield Ferraris een lezing over moderne Italiaanse schilderkunst in de conferentiezaal van Las Palmas. Met hulp van Alicia Villalba, die Nicolás Lobato opnieuw gevolgd was naar zijn onderneming in Cuernavaca en efficiënt als altijd een leger werknemers had gemobiliseerd, was Jacqueline erin geslaagd de zaal vol te krijgen. Na afloop was er een luisterrijke receptie. En weer werd er flink geld tegenaan gesmeten. Toen de groep van Márgara Armengol tegen het vallen van de avond aanstalten maakte om te vertrekken en Jacqueline in haar hoedanigheid van gastvrouw de genodigden uitgeleide deed, vroeg Ferraris haar met hem terug te keren naar de hoofdstad. Ze legde hem met een brede glimlach uit, alsof ze tegen een kind sprak, dat ze Cuernavaca nu onmogelijk kon verlaten, dat ze zich

97

aan haar man moest wijden, die ze alleen in het weekeinde zag, Nicolás zou nooit begrijpen dat ze naar Mexico-stad terugkeerde alsof ze gewoon een van de gasten was.

Die nacht gaf ze zich over aan Nicolás Lobato met een hartstocht die haar opnieuw verbaasde en die zich een tijdlang met dezelfde intensiteit elk weekeinde zou herhalen.

Toen ze Ferraris de daaropvolgende maandag opbelde, antwoordde hij op ijzige toon dat hij voortaan de grootst mogelijke afstand tussen hen wenste te bewaren; hij voelde zich bedrogen, omdat hij gedacht had dat er een menselijke band tussen hen bestond, niet louter een dierlijke; jammer genoeg had hij zich vergist. Een van de vele vergissingen in zijn leven, stompzinnig en goedgelovig als hij was, dat moest hij toegeven. Jacqueline hing op, stapte in haar auto en reed plankgas naar de calle de la Higuera in Coyoacán, waar zich het appartementje van haar minnaar bevond. Ze bonsde een hele tijd op de deur en toen hij eindelijk opendeed, stormde ze als een wervelwind binnen en sleepte Ferraris met zich mee. In de piepkleine, rommelige slaapkamer liet ze zich zwaar op bed vallen en begon te huilen. Een tijdje later, toen ze zich weer enigszins hersteld had, zei ze: 'Het was niet mijn bedoeling je af te schrikken, Gianni Ferraris. Je zult je nooit kunnen voorstellen wat voor leven ik geleid heb; je zou niet begrijpen hoe ik het heb kunnen uithouden, hoe ik erin geslaagd ben nog een laatste restje gezond verstand te bewaren. Je zegt dat je door een hel bent gegaan, goed, ik geloof je. Maar denk je soms dat ik de afgelopen jaren op een bed vol rozen heb gelegen? Ik heb je niet willen lastigvallen met al mijn ellende, dat heb ik zoals je weet nooit gedaan, maar het lijkt me nu tijd om te praten. Dacht je dat het voor mij gemakkelijk is geweest mijn huwelijk te verdragen?' En ze begon opgewonden uit te weiden over de vermeende kwellingen die haar door die hitsige bruut van een echtgenoot waren aangedaan. Ze liet hem haar hand met de prothese zien, waarbij ze de namaakvingers stijf bewoog, en wees nadrukkelijk op het litteken op haar schouder, alsof dat alles het gevolg was van nachten vol misdadige wellust; hij kon haar alleen maar met uitpuilende ogen aankijken. 'Toen ik jou leerde kennen, ontdekte ik dat er dingen waren die voor mij onbereikbaar waren geworden.' En zonder enige overgang sprak ze nu over de intellectuele en morele tekortkomingen van haar man, over de aanstootgevende luxe waarin hij zwolg, over zijn stuitende spilzucht. Ze voegde eraan toe dat hij tegelijk voor een lezing als die van Ferraris en de bijbehorende receptie een beschamende krenterigheid aan de dag had gelegd. Ferraris hoorde haar stomverbaasd aan, want nog nooit in zijn leven had hij zo'n schitterende vertoning meegemaakt.

Vanaf die dag was het weer het oude liedje: waarom was Nicolás Lobato in vredesnaam overladen met alle gulle gaven des levens, terwijl een professor kunstgeschiedenis die op een zeer brede culturele ontwikkeling kon bogen, maar met dure boeken en reizen zijn kennis op peil diende te houden, genoegen moest nemen met een paar schamele kruimels, die hij bijeenschraapte door zich uit te sloven voor de klas en af en toe een lezing te geven voor een publiek van kelners, kappers en hotelbedienden, die vanzelfsprekend niet de minste belangstelling hadden voor kunst? Jacqueline was volhardend als een kat, ze miauwde haar grieven en liet geen gelegenheid onbenut toespelingen te maken op het overbodige bestaan van haar echtgenoot op deze wereld. Ze benadrukte voortdurend hoeveel minachting Nicolás had voor kunst en in het algemeen voor elke culturele uiting.

'Ik begrijp er niets van,' zei hij kreunend, 'het kan me niets schelen wat je man denkt of niet denkt. Ik heb rust nodig, snap je dat niet? Het enige waar ik om vraag is rust, en jij jaagt me angst aan en kwelt me. Laat me alleen, alsjeblieft, hou eindelijk eens op me bang te maken. En wat de lezing betreft die je in Cuernavaca georganiseerd hebt,' voegde hij er bedroefd aan toe, 'je hebt me nooit verteld met wat voor soort publiek ik te maken zou krijgen.'

'Ik wilde je niet nerveus maken, Gianni, dat kon ik me niet veroorloven,' antwoordde ze, en ze liet er meteen op volgen: 'Als Nicolás dood zou gaan, en ik bid elke nacht tot God dat dat mag gebeuren, zou ik Las Palmas, dat mammoethotel dat ik zo verafschuw, meteen verkopen. Dan zouden onze problemen voor de rest van ons leven opgelost zijn.'

Na deze gesprekken kwam Ferraris' zenuwcrisis meestal weer tot een ongebruikelijk heftige uitbarsting. Het stukje dat hij in de voorafgaande weken vooruit was gegaan, ging dan in één klap verloren. Hij liet zich op bed vallen, wrong zich in allerlei bochten en wreef over zijn armen en borst. De mieren onder zijn huid krioelden door zijn hele lichaam. Hij verloor zichtbaar aan gewicht. Maar Jacquelines woorden hadden hun giftige uitwerking niet gemist. Als Lobato dood zou gaan, kon híj genezen in een van de beste klinieken ter wereld, in de Zwitserse bergen, in het Zwarte Woud, in Málaga. Hij droomde er al van dat hij in een kamer in de Alpen een luxe monografie van Giorgio Morandi doorbladerde, die hij uit Italië toegestuurd had gekregen om een essay te kunnen schrijven, terwijl hij zich aan een succesvolle behandeling onderwierp.

'En bestaat er enige kans, ik zou durven zeggen enige hoop, dat je man binnenkort zal sterven? Heeft hij problemen met zijn gezondheid?' vroeg hij ten slotte op een dag.

'Nicolás Lobato is een eik, dat vindt hij tenminste zelf, maar ik zal ervoor zorgen dat hij wordt geveld. De tijd is gekomen om het kwaad dat hij me al die jaren heeft aangedaan met kwaad te vergelden. Laat me even nadenken over de manier waarop we hem uit de weg moeten ruimen. We kunnen hem bijvoorbeeld een slaapmiddel geven, hem in een auto zetten, naar een bergachtige plek op de weg naar Cuernavaca brengen en hem daar met zijn auto in een afgrond laten rijden. Dan zou hij, vermoed ik, hoop ik, op slag dood zijn. Ik zou de auto kunnen besturen, we moeten wel de oude weg nemen om de tolhuisjes te omzeilen. Ik trek een regenjas aan die ik een paar jaar geleden in Londen heb gekocht, een prachtige regenjas, niet zo'n flodderig geval, dat kan ik je verzekeren,' zei ze, plotseling volkomen incoherent, en ze vervolgde: 'Ik zet de auto aan de rand van een afgrond en stap uit, en dan geef jij er met de andere auto een duwtje tegenaan. Dat is genoeg. We gaan dan snel terug naar mijn huis om te wachten op het telefoontje waarin ons wordt verteld dat alles afgelopen is, onze vreselijke onderdrukking behoort dan definitief tot het verleden, een stralende toekomst strekt zich voor ons uit en sluit ons als verloren zonen in haar armen.'

Gianni Ferraris gaf nooit zijn goedkeuring aan de uitvoering van die plannen; toch liet hij zich als een marionet manipuleren, alsof hij er maar niet in slaagde uit een droom te ontwaken. Ze maakten verscheidene tochtjes om de geschiktste plek uit te zoeken en dachten na over de vraag hoe ze Nicolás Lobato het beste naar Mexico-stad konden lokken, waar hij soms wekenlang niet kwam. Jacqueline greep met het sensationele gevoel van een déjà vu terug op een van haar vroegere plannetjes. Ze zou simuleren dat ze ziek was en naar Cuernavaca bellen, en doen alsof ze op sterven na dood was. Dat moest dan op een zaterdagmiddag of een zaterdagavond gebeuren. 's Zondags was er niemand in huis en konden ze het lichaam van Nicolás, dat onder de slaapmiddelen zat, in de auto leggen en de grote operatie ten uitvoer brengen.

Ferraris slikte al die tijd grote hoeveelheden pillen om zichzelf in de hand te houden; daardoor werden zijn reacties steeds trager en zijn manier van spreken moeizamer. Jacqueline wilde het ongeluk zo snel mogelijk laten plaatsvinden, omdat ze bang was dat een lange wachttijd voor haar minnaar rampzalig kon zijn. Het was haar duidelijk dat hun plan zich nog in het beginstadium bevond en dat de details nog vaag waren en nader uitgewerkt dienden te worden, maar ze vertrouwde erop dat als het zover was haar intuïtie wel zou aangeven hoe ze moest handelen. Als ze niet snel iets deed, kon Gianni weleens instorten en in een psychiatrische inrichting belanden. In die fase van hun relatie waren ze al niet meer in staat met elkaar te vrijen, zo uitgeput was zijn organisme; in de weekeinden die ze met haar man doorbracht, beleefde ze evenwel waanzinnige orgasmen, zoals altijd wanneer ze zijn dood voorbereidde.

Ten slotte besloten ze een datum vast te stellen; Jacqueline bracht haar minnaar opnieuw naar de uitgekozen plek voor een gedetailleerde bestudering. Die avond zouden ze bij haar thuis eten, samen met Márgara Armengol en een Franse geliefde, die haar overal volgde, een onsympathiek heerschap dat de onuitstaanbare gewoonte had aan één stuk door te praten. Zoals gebruikelijk in Jacquelines leven voltrokken de gebeurtenissen zich op dramatische wijze, maar totaal anders dan ze had voorzien.

Die avond, terwijl ze met Márgara en haar praatzieke vriend zaten te eten, stonden er plotseling twee politieagenten in Jacquelines eetkamer. Ze vroegen op dwingende toon naar Nicolás Lobato, en vanzelfsprekend antwoordde ze enigszins ontwijkend dat hij niet thuis was, dat hij hier maar zelden at, om de eenvoudige reden dat hij het grootste deel van zijn zaken naar Cuernavaca had verplaatst; haar man was eigenaar, voor het geval ze dat niet wisten, van het belangrijke hotelcomplex Las Palmas, dat zelfs de beschikking had over een golfbaan. Toen de keukendeur openging zag ze dat er nog meer agenten in huis waren, die het personeel ondervroegen. Een van de agenten, die een hoge rang scheen te hebben, snauwde Márgara en de Fransman toe dat ze, zoals hij zei, met hun aanwezigheid het onderzoek probeerden te hinderen en hij beval hun ogenblikkelijk te vertrekken, met de toevoeging dat ze de stad pas mochten verlaten als ze daarvoor schriftelijk toestemming hadden gekregen. Jacqueline stond perplex. Heel even koesterde ze de hoop dat haar man al niet meer onder de levenden was en dat zij en Ferraris hun handen niet meer vuil hoefden te maken. Zodra Márgara en haar vriend het huis verlaten hadden, veranderde de toon van het verhoor. Jacqueline en Ferraris kregen de meest grove beledigingen naar hun hoofd geslingerd. Ze had het gevoel dat de agenten er zonder meer van uitgingen dat Gianni haar minnaar was. Ze bleven maar vragen waar haar man was, waar hij zich verdomme verborgen hield, wanneer ze hem voor het laatst gezien hadden, hoe laat hij die dag gebeld had en waarvandaan. Ze wilden hen niet aan de ruwe behandeling onderwerpen die ze door hun stilzwijgen eigenlijk verdienden, zei een van hen, terwijl hij Ferraris op hetzelfde moment keihard in het gezicht sloeg, maar daarvoor eisten ze wel heldere en eerlijke antwoorden. Waar hield Nicolás Lobato zich verborgen? Waarheen was hij gevlucht? Ze bleven dreigen. Als ze niet bekenden, zei de agent met de losse handjes, terwijl hij Jacqueline ruw aan haar schouder door elkaar schudde, zouden ze hen inrekenen, ze zouden hun hoofd in een emmer stront duwen, en die flikker daar, die blijkbaar tot taak had haar op te geilen, zouden ze een tijdje aan zijn ballen ophangen; ze wilden nog weleens zien of ze stommetje bleven spelen als ze voelden hoe een paar laarzen de mambo dansten op hun voorname buiken; als geen bot in hun lijf meer heel was, dan wilden ze nog weleens zien... dan wilden ze nog weleens zien...

'Wat is er met mijn man gebeurd?' vroeg Jacqueline angstig en inmiddels volledig in de war. 'Zegt u eindelijk eens wat, alstublieft.'

'Je kontje als beloning als ik het zeg? Hoor eens even, trut, wíj zijn hier degenen die de vragen stellen, het wordt tijd dat je dat eens goed in je oren knoopt,' antwoordde een van de officieren grof, terwijl hij Ferraris terloops opnieuw in het gezicht sloeg. Toen stroomde de kamer vol agenten en begon Ferraris ongearticuleerde kreten uit te stoten en met zijn armen te molenwieken; een van de agenten ging achter hem staan en draaide zijn armen op zijn rug, en zijn geschreeuw ging over in gekreun; hij beefde als een bezetene over zijn hele lichaam, terwijl de agenten het huis overhoop haalden, op zoek naar iets waarvan Jacqueline niet kon achterhalen wat het was. De inhoud van laden en kasten lag overal verspreid op de grond. Een tijdje later moest het tweetal in een politiewagen stappen en vertrokken ze met onbekende bestemming.

Jacqueline werd bijna twee weken lang vastgehouden. Tijdens de verhoren kwam ze te weten dat haar man failliet was gegaan, op frauduleuze wijze volgens de politie, en dat hij uit zijn toerististische centrum in de staat Morelos verdwenen was. Daarna begreep ze er niets meer van, ze werd behandeld als een misdadigster van de ergste soort, ze beledigden haar, schudden haar door elkaar, trokken haar aan haar haren en wilden weten waar ze het lijk van haar man verstopt had. Dagen- en nachtenlang stelden ze haar steeds weer dezelfde vragen. Ze wist niets en kon dus ook geen antwoord geven. Toen ze haar ten slotte lieten gaan, zocht ze Ferraris op en ontdekte dat hij nog niet in zijn appartement was teruggekeerd. Nog erger dan de harde aanpak in de gevangenis vond ze het lezen van de berichten in de pers. Via de kranten vernam ze dat zij en de kunstdocent verdacht werden van het plegen van een misdrijf, en wel van de moord op Nicolás Lobato op de oude weg naar Cuernavaca. Ferraris had vermoedelijk zijn mond voorbijgepraat en de politie ging ervan uit dat het misdrijf al had plaatsgevonden. Later had Ferraris evenwel verklaard dat zijn bekentenis niet rechtsgeldig was, omdat die door marteling was afgedwongen.

Ze walgde van de artikelen in de pers, waarin ze buitengewoon grof werd behandeld. Alleen het lijk moest nog gevonden worden, beweerden de journalisten. Er waren dagen dat ze dacht dat ze haar verstand zou verliezen. Haar broers en zussen lieten niets van zich horen, waar ze hun in wezen dankbaar voor was; het personeel had haar in de steek gelaten, zelfs nog voordat ze naar huis was teruggekeerd, ongetwijfeld bang gemaakt door de politie. Márgara Armengol weigerde haar aan de telefoon te woord te staan; als ze per ongeluk toch de telefoon opnam, gooide ze meteen de hoorn op de haak zodra ze Jacquelines zwakke stem herkende. Het huis was volledig leeggeplunderd, haar bontmantels, haar sieraden, het zilverwerk, alles was verdwenen. De arme Gianni werd nog altijd vastgehouden en mocht geen bezoek ontvangen. De enige steun vond ze bij Alicia Villalba. Zij had de nodige stappen genomen om haar vrij te krijgen en zij had haar ook in contact gebracht met de advocaat van Nicolás Lobato, een zekere Paredes, Marcelino Paredes, om precies te zijn. Maanden later kon diezelfde Paredes het onomstotelijke bewijs leveren dat Nicolás Lobato springlevend was en zich in Madrid ophield, vanwaar hij niet kon worden uitgeleverd omdat er geen uitleveringsverdrag tussen Mexico en Spanje bestond.

Het duurde nog een aantal maanden voor de officiële papieren van het Mexicaanse consulaat in Madrid binnenkwamen; daarin werd bevestigd dat het boven elke twijfel verheven was dat Nicolás Lobato zich in Spanje bevond. En dankzij die papieren kon Gianni Ferraris in vrijheid worden gesteld.

Op een ochtend werd er bij Jacqueline aangebeld. Ze stond op om open te doen, in de overtuiging dat het Alicia Villalba was. Het bleek niemand minder dan Gianni Ferraris. Toen ze de deur opende rook ze zijn walgelijk slechte adem en dat gaf haar meteen al een heel onaangenaam gevoel. Hij was buiten zichzelf van woede. Hij sprak niet en schreeuwde ook niet, zoals hij in het verleden wel zou hebben gedaan. Hij sleurde haar mee naar de slaapkamer, duwde haar in een hoek, deed een paar stappen achteruit en rende toen met zijn hoofd naar voren op haar af; hij ramde haar midden op de borst, waardoor ze haar evenwicht verloor en op de grond zakte. Daarna begon hij als een bezetene keihard op haar in te slaan.

Het was ongelooflijk welke kracht die man ontwikkelde in de toestand van halve waanzin waarin hij verkeerde. Jacqueline had geen idee hoelang de aanval duurde of hoe laat de Italiaan haar huis verliet. Ze kwam vele uren later bij met een lichaam vol kneuzingen. In de kamer was het donker. Met veel moeite slaagde ze erin overeind te krabbelen en op zoek te gaan naar de lichtschakelaar. Als een slaapwandelaarster liep ze naar het bed. Toen ze zichzelf in de spiegel zag, schrok ze van de aanblik die ze bood: haar gezicht zat vol blauwe plekken, haar kleren waren gescheurd en zaten onder het bloed, ze miste een schoen. Ze wilde een dokter bellen, maar ze had nog maar net genoeg kracht om het bed te bereiken, waar ze opnieuw het bewustzijn verloor.

ZES

Het was nog een geluk dat het huis op haar naam stond. Dan had ze ten minste een toevluchtsoord. Advocaat Paredes adviseerde haar het huis te verkopen en met het geld een appartement in de wijk Nápoles aan te schaffen, dat binnenkort door een andere cliënt van hem te koop zou worden aangeboden.

'Dan zit u precies halverwege Coyoacán en Polanco, de twee plekken waar u tot nu heeft gewoond,' merkte de advocaat op. Alsof halverwege wonen de panische angst die zich van haar meester had gemaakt, kon wegnemen!

Het geld, drong Paredes aan, zou ze onmiddellijk op de bank moeten storten om het kapitaal vast te zetten en van de rente te kunnen leven. Maar het bleek niet mogelijk het appartement in Nápoles te kopen, omdat de verkoop van haar eigen huis langer duurde dan voorzien. Nicolás had haar bij verschillende gelegenheden papieren voorgelegd om te tekenen en dat had ze steeds werktuiglijk gedaan, zonder zelfs maar te vragen waar het om ging, vertrouwend op het zakeninstinct van haar man. Toen ze het huis in Polanco wilde verkopen, bleek er een flinke hypotheek op te rusten. Pas na een hele reeks lastige en onbegrijpelijke formaliteiten die meer dan een jaar in beslag namen, waarbij een notaris haar enkele keren papieren liet zien die zijzelf had ondertekend maar waarvan ze zich helemaal niets herinnerde, kon Paredes overgaan tot de verkoop en ontving ze een belachelijk klein bedrag voor dat immense huis waar ze zo ongelukkig was geweest. Een assistent van de advocaat belastte zich met de verkoop van de meubelen, waarvoor ze ook al niet meer dan een schijntje kreeg.

En op een dag bleek ze tot haar verbazing in een schaars gemeubileerd appartementje aan de calle de Balderas te wonen. Ze had dus niet kunnen ontsnappen aan het lot van haar familie; ook zij was weggezonken in armoede. Ze leefde van de bescheiden rente die de bank aan haar overmaakte, maar voor het eerst sinds haar trouwdag was ze vastbesloten voortaan zuinig te zijn. Na haar verhuizing naar de calle de Balderas kon ze alleen nog maar patience spelen en over haar verleden tobben. Het leven kwam haar voor als een doelloze reis door de woestijn. In feite, zei ze bij zichzelf, had ze op haar weg, ook al zou je dat op het eerste gezicht niet zeggen, maar heel weinig afwisseling gekend. Het grootste probleem in de nabije toekomst leek haar niet zozeer haar economische positie als wel de eenzaamheid die haar omringde. Ze voelde zich niet in staat een van de vrienden van Lobato om hulp te vragen. De pers had haar zo onbarmhartig behandeld dat ze ervan uitging dat ze overal waar ze zich liet zien, zou worden verstoten. Het kwam niet eens bij haar op om zich tot haar familie te wenden. Dat enorme genoegen zou ze María Dorotea nooit doen! Haar meest bestendige emotionele steunpilaar was, afgezien van haar echtelijke en buitenechtelijke relaties, al vele jaren haar vriendschap met Márgara Armengol. Ze wist zeker dat dit gevoel wederzijds was. De tijd zou de misverstanden tussen hen wel ophelderen. Er zou een moment komen dat Márgara haar net zo hard nodig had als zij haar. Dan zouden ze weer met elkaar praten alsof er niets gebeurd was. De gedachte aan Márgara voerde haar terug naar haar gelukkige jaren als studente, naar de verlovingstijd met Nicolás, naar haar huwelijk en de voor- en tegenspoed die ze in haar huwelijksleven had gekend. Dankzij Márgara had ze toegang tot de wereld van de cultuur gekregen. Die vriendschap had haar leven structuur gegeven. De gedachte aan Márgara betekende een herbeleving van de nachten waarin ze zich met behulp van benzedrine op hun tentamens voorbereidden, de feestjes in haar jeugd, de cuba libres, de Smirnoff-wodka, de goedkope gin, de eropvolgende ondraaglijke katers, de doorwaakte nachten waarin ze tot het aanbreken van de dag de mambo en de cha-cha-cha dansten. Een grote chaotische schijnwereld, maar in feite volkomen onschuldig! Later kwamen de nieuwe aspiraties: galerieën, filmhuizen, lezingen, jaren waarin ze zich ontwikkelde tot een vrouw die zich niet langer zomaar door haar man liet kleineren als hij daar toevallig zin in had. Wat had het allemaal voor nut! Ze wist maar al te goed dat na de dood van haar moeder haar echte familie niet bestond uit María del Carmen, María Dorotea, Adrián en Marcelo, maar uit Márgara en een handjevol mensen uit haar vriendenkring. Daarom had ze haar ook als eerste opgezocht toen ze uit de gevangenis kwam. Met een treurig resultaat, zoals we inmiddels weten.

Toen ze het gevoel had dat er genoeg tijd verstreken was voor Márgara om over de eerste schrik heen te zijn, belde ze haar weer op. Haar vriendin nam op en Jacqueline deed haar uiterste best een zo niet luchtige dan toch enigszins natuurlijk klinkende toon aan te slaan. In het eerste benauwende moment van onzekerheid dacht ze dat haar vriendin zou ophangen. Maar kennelijk had Márgara Armengol toen al besloten schoon schip te maken; aanvankelijk zweeg ze, totdat Jacqueline, steeds onzekerder, ten slotte vroeg of ze wel naar haar luisterde. Op dat moment zei Márgara op onpersoonlijke, staalharde toon dat ze van haar eiste, ze vroeg het niet en het was ook geen verzoek, ze zei letterlijk dat ze van haar *eiste* dat ze elk contact met haar én met de docenten en leerlingen van haar academie verbrak. Ze zei vreselijke dingen over wat ze in de pers vernomen had, met name over Jacquelines relatie met een van de docenten van haar instituut, alsof ze, zei Jacqueline later bij zichzelf, nooit had gemerkt dat haar band met Ferraris inniger was geweest dan normaal was tussen leerling en docent, terwijl ze nota bene jarenlang haar intiemste vriendin was geweest! Márgara zei bovendien dat ze in de pers nog andere dingen vernomen had, afschuwelijke dingen waarvan ze zich nooit een voorstelling zou hebben durven maken, zoals de plannen om haar man te vermoorden en daar met onmiskenbaar kwade bedoelingen professor Ferraris bij te betrekken.

'Gelooft u me,' ging ze verder, terwijl ze haar niet langer tutoyeerde, 'het is voor mij misschien nog wel pijnlijker dan voor u om het over deze dingen te hebben. Maar laat er geen misverstand over bestaan dat ons contact hiermee beëindigd is! Ik had nooit kunnen vermoeden dat u op zo'n manier zou reageren op alle aandacht die mijn personeel en ik op dit cultuurinstituut u al die tijd gegeven hebben. Dat is alles!' besloot ze plotseling en hing op.

Het was een verschrikkelijke klap voor Jacqueline.

De tijd erna was de meest troosteloze van haar bestaan.

Maar voor een beter begrip van deze geschiedenis is het goed om op dit punt even terug te keren naar enkele gebeurtenissen die eraan voorafgingen.

Toen Jacqueline na de schok als gevolg van de klappen die Gianni Ferraris haar had toegediend tot zichzelf kwam, stond ze op met hevige pijnen en met het gevoel dat ze elk moment opnieuw het bewustzijn kon verliezen; ze slaagde erin een jas om haar schouders te slaan en het huis te verlaten. Ze wist niet hoe lang ze bewusteloos was geweest. Ze had niet eens haar gezicht gewassen, dat door de korsten en de bloeduitstortingen een afschuwelijke aanblik bood. De vrouw die met slepende, onzekere tred een tijd door de straten dwaalde op zoek naar een taxi was één immense bundel pijn. Van de praktijk van haar huisarts werd ze onmiddellijk doorgestuurd naar een ziekenhuis, waar ze ongeveer twee weken moest blijven. Afgezien van een bezoek van

Alicia Villalba was er niemand die naar haar om-
keek. Ze maten haar een gipskorset aan, naaiden een
open wond boven haar rechterwenkbrauw dicht,
gaven haar meerdere injecties per dag en lieten haar
elk uur pijnstillers slikken. Vanuit het ziekenhuis
belde ze verscheidene keren naar het kantoor van
Paredes, die nooit zelf aan de telefoon kwam en ook
niet terugbelde. Toen Jacqueline uit het ziekenhuis
werd ontslagen, ging ze linea recta naar hem toe. De
advocaat verontschuldigde zich op een toon die
grensde aan onbeschoftheid. Hij zei dat haar berichten nooit aan hem waren doorgegeven, maar dat het
hem niet zinvol leek over ooit gemaakte fouten uit te
weiden. Het was bij die gelegenheid dat hij haar
bevestigde dat ze het recht had het huis in Polanco te
houden, omdat het op haar naam stond, maar hij
adviseerde haar het te verkopen en naar een minder
dure woning te verhuizen. Hij voegde eraan toe dat
hij de twee auto's aan een zaakwaarnemer van de
schuldeisers had moeten afstaan, omdat ze op naam
van Lobato stonden.

Jacqueline vroeg de advocaat om het adres van
haar man in Spanje; ze moest dringend contact met
hem hebben, zei ze, om hem instructies te vragen.
Moest ze alles verkopen en naar Spanje komen? Ze
wist toen nog niets van de zware hypotheek die op
het pand rustte en van het minieme bedrag dat ze na
aftrek van de kosten van de verkoop zou overhouden.
De advocaat weigerde haar het gevraagde adres te
geven. Dat moest hij eerst met zijn cliënt bespreken,
zei hij. Jacqueline was ontsteld. Ze schreef ter plekke
een brief en gaf die aan Paredes met het verzoek

hem door te sturen. Daarin vertelde ze haar man dat ze was gearresteerd, vernederd en belasterd en dat ze het gevoel had door het schandaal voor altijd bezoedeld te zijn; een Italiaanse professor genaamd Ferraris, ze wist niet of hij zich hem nog kon herinneren, was er na gemarteld te zijn toe gedwongen te bekennen dat er een complot bestond om hem, ja, hém, Nicolás Lobato, te vermoorden en zich zo meester te maken van diens vermogen, en de man had door de zware mishandelingen zijn verstand verloren; later was hij onschuldig verklaard en in vrijheid gesteld en had hij haar tijdens een van zijn vlagen van waanzin zo gewelddadig aangevallen dat het nog lang zou duren voordat ze volledig hersteld was van de gevolgen. Ze vroeg hem in die brief uiterst tactvol om enige financiële steun, een maandelijkse toelage, zodat ze de moeilijke situatie waarin ze verkeerde het hoofd kon bieden, totdat ze het huis verkocht had en zich bij hem kon voegen.

Ze kreeg nooit antwoord op haar brief. In de daaropvolgende maanden bleef ze in contact met de advocaat, die zorgde voor de verkoop van het huis en de meubels, waarvoor ze, zoals gezegd, een bedrag ontving dat ver beneden de marktprijs lag, maar dat haar in staat stelde een appartement in de calle de Balderas te betrekken. Net als op andere momenten in haar leven leken haar handelingen en ook de gebeurtenissen zelf zich in een droom af te spelen, waarin zij niet alleen de hoofdpersoon was maar ook een getuige die alles wat er gebeurde registreerde en beoordeelde. Het was ook beter zich niet bewust te zijn van de omvang van haar ellende, van de treurige toekomst die haar te wachten stond. Heel geleidelijk, zonder dat ze het hele proces al kon overzien, begon de werkelijkheid weer tot haar door te dringen. Ze had geen helder besef van de tijd die verstreken was. Woonde ze nog in het huis in Polanco of was ze al verhuisd naar de bescheiden woning in de calle de Balderas? De eerste maanden van haar terugkeer naar de realiteit bracht ze merendeels binnenshuis door, waarbij ze probeerde een paar van de boeken te lezen die ze op de academie besproken hadden en die ze sinds ze in de gevangenis had gezeten niet meer had ingekeken. Af en toe werd ze overvallen door een vlaag van weemoed, vrijwel steeds voorafgegaan door een acute zenuwstoornis. 'Het moet uitgerekend mij weer overkomen,' mompelde ze, 'dat ik nu dat mierengekriebel in mijn lichaam voel waar die halvegare altijd over klaagde.' En op zulke dagen sloeg ze haar boeken dicht en bleef in bed liggen, ze nam alleen de medicijnen in die een onlangs door haar huisarts, dokter Montenegro, aanbevolen neuroloog haar had voorgeschreven. Soms deed ze wekenlang niets anders dan patience spelen.

Toen ze besefte dat er al te veel tijd verstreken was zonder bericht van Nicolás Lobato, ondernam ze een nieuwe manhaftige poging om haar problemen zelf op te lossen. Ze kleedde zich zo onopvallend mogelijk en ging opnieuw naar het kantoor van Paredes, die altijd onbereikbaar was; ze vroeg hem om een aanbevelingsbrief, zodat ze op zoek kon naar een baan; hoewel de advocaat dit niet rechtstreeks weigerde, stemde hij ook niet meteen toe. Zoals altijd zei hij dat hij daarvoor eerst toestemming van zijn cliënt nodig had, dat zou zij beter kunnen begrijpen dan wie ook. Jacqueline antwoordde dat ze zijn bedenkingen begreep, maar ze zou hem heel dankbaar zijn als hij Nicolás, zodra hij contact met hem opnam, zou laten weten dat ze gearresteerd, lichamelijk en geestelijk gemarteld, meedogenloos door de pers bekritiseerd, als een vrouw van het laagste allooi, als een smerige hoer, behandeld en door een geestelijk gestoorde aangevallen was; meer dan eens had ze gedacht dat ze zelf ook haar verstand zou verliezen; maar ze had al die zware beproevingen uit verbondenheid met hem, uit genegenheid, dat wil zeggen uit liefde doorstaan; en Paredes moest ook tegen hem zeggen dat ze verhuisd was naar een uiterst bescheiden appartement in de calle de Balderas nummer 95, achterhuis 6, en hem vragen alsjeblieft een paar regels naar dat adres te sturen met de nodige aanwijzingen over wat ze in de toekomst moest doen, naar Spanje komen of hier in Mexico op hem wachten.

Net als op haar eerste brief kreeg ze nooit antwoord van Nicolás Lobato. Ze woonde een jaar in het appartement in de calle de Balderas, verveeld, zonder ook maar enige betekenis in haar alledaagse leven te ontdekken, zonder te lezen, waar ze op een bepaald moment geen zin meer in had, zonder bezoek te ontvangen, behalve heel sporadisch van Alicia Villalba of van een oude buurvrouw, een kletsgrage en vriendelijke waarzegster. In die tijd had Jacqueline het lezen al opgegeven; ze kon zich onmogelijk concentreren en interesseerde zich nergens meer voor. Van een boek openslaan werd ze alleen maar droevig, raakte ze van slag, omdat het haar dwong haar onvermogen te erkennen. Het was de aardige buurvrouw die haar voorstelde aan haar neven Mario en Manuel Requena, die naast de Metropólitan-bioscoop een boekhandel met esoterische boeken runden; ze konden allebei tarotkaarten lezen en horoscopen trekken. Ze boden haar aan bij hen te komen werken, een aanbod dat ze alleen accepteerde omdat de boekhandel op maar drie straten van haar huis lag. Van langere trajecten raakte ze in paniek. Ze zou voor geen goud naar Polanco zijn gegaan, waar ze tot voor kort nog had gewoond, laat staan naar Coyoacán, waar ze het grootste deel van haar leven had doorgebracht en waar zich, nog afgezien van andere dingen die aan haar verleden daar herinnerden, de academie van Márgara Armengol bevond. Ze moest toegeven dat als ze dat baantje niet had aangenomen ze geleidelijk zou zijn weggekwijnd, dat ze uiteindelijk misschien wel zelfmoord had gepleegd. De boekhandel bracht haar terug naar het leven. Mario Requena kwam op een dag naar haar toe om te vertellen dat de zaak zo goed liep dat het moment gekomen was om een tweede winkel te openen, in Cuernavaca. Ze hadden hem een geschikt pand aangeboden op een steenworp afstand van het Casino de la Selva, De Zodiak, een café dat zich uitstekend leende voor het onderbrengen van een filiaal van zijn esoterische winkel; hij ging niet weg omdat hij onenigheid met zijn broer had, maar om gezondheidsredenen; de hoogte van Mexico-stad deed hem geen goed, zijn hart had hem al een paar keer gewaarschuwd; en tot haar eigen verbazing nam Jacqueline, die zich nauwelijks een paar straten van haar huis of van de boekhandel durfde te verwijderen, het voorstel dat Mario haar toen deed enthousiast aan en betrok ze een piepklein huisje naast De Zodiak. Ze zou er tien jaar blijven wonen, jaren die ze niet eens voelde of werkelijk beleefde. Ze leerde de meest rudimentaire elementen van de codetaal die kenmerkend was voor haar nieuwe omgeving. Mario Requena probeerde haar met behulp van een handboek het handlezen bij te brengen, maar ze deed het zonder overtuiging, op een toon die niet de vereiste uitstraling had noch enige hoop op een mysterie wekte, zodat haar leermeester haar adviseerde om maar liever af te zien van een carrière als handlezeres. In haar vrije tijd las ze zonder er een regel van te begrijpen fragmenten uit esoterische boeken die haar om onnaspeurbare redenen amuseerden, maar waarvan ze later geen woord zou hebben kunnen navertellen. Op een keer, kort na haar aankomst in Cuernavaca, vertelden de kaarten haar dat ze al drie verschillende levens had geleefd en dat ze er nog twee voor de boeg had, zodat het pentagram van haar bestaan zich op natuurlijke wijze zou sluiten en de akkoorden van alles wat ze tot dan toe had meegemaakt zouden samensmelten tot de melodie die door de sterren voor haar was voorbestemd.

'Wat? Heb ik al drie levens geleefd?' vroeg Jacqueline zonder haar verbazing te verhelen.

'Wat me niet helemaal duidelijk is,' antwoordde Requena, 'is of het gaat om drie verschillende levens van een en dezelfde persoon of om drie personen die een gemeenschappelijk leven delen.'

'Is dat dan niet hetzelfde?' vroeg ze nog verbaasder.

'Zo ondoorgrondelijk zijn de mysteries van het leven!' besloot Requena op dromerige toon.

Jacqueline besloot geen tarotkaarten meer te laten leggen omdat ze er te zeer door van streek raakte. Terneergeslagen liet ze de drie bekende levens nog eens aan zich voorbijtrekken: de armoedige kindertijd, de ellendige jeugd, de jaren aan de universiteit en de wonderen die ze had verricht om enigszins toonbaar op de faculteit te verschijnen; de tweede fase begon met haar huwelijk en eindigde niet alleen met het verlies van het huis in Polanco, waar bij wijze van spreken een butler met witte handschoenen altijd haar cornflakes voor het ontbijt had opgediend, maar ook met het verlies van een stimulerende intellectuele omgeving, waarvan de cursussen in het huis van Márgara Armengol, de boeken, de geschreven maar nooit gepubliceerde verhalen, de omgang met schrijvers en de meest uiteenlopende intellectuele persoonlijkheden, die regelmatig op de academie werden uitgenodigd, deel uitmaakten, een heel wat aantrekkelijker milieu dan dat waarin haar man zich bewoog, hij kon zeggen wat hij wilde; en de derde fase, die met de vlucht van Nicolás Lobato en zijn onverklaarbare stilzwijgen begon, was gevolgd door de terugval in de armoede en de verbanning naar Cuernavaca, waar ze maar één en meestal helemaal geen dienstmeisje had, zonder dat het haar iets kon schelen wat ze at of hoe ze zich kleedde, als ze maar overleefde, alsof dat het enige doel was waarnaar ze nog mocht streven. Ze kon geen rode draad vinden die deze drie zo verschillende fasen van haar leven met elkaar verbond; zelfs tussen de twee laatste, de meest recente, waren weinig overeenkomsten, de enige duidelijk zichtbare was nog haar omgang met Alicia Villalba, die na de economische ondergang van Nicolás in Cuernavaca was gebleven, natuurlijk niet in Las Palmas, maar als bedrijfsleidster en later ook als compagnon in een Frans restaurant, waar het uitstekend met haar ging. De nicht van Nicolás was buitengewoon grootmoedig tegenover haar geweest, ze had haar zelfs een auto geleend die ze zelf nauwelijks gebruikte, zodat ze zich in Cuernavaca kon verplaatsen. Jacqueline telefoneerde vaak met Alicia en de paar vrouwen die ze in de stad kende, klanten van De Zodiak. Het was een van de weinige mogelijkheden om haar eenzaamheid te verdrijven. Ze vond het heerlijk om de vroegere secretaresse van haar man met bekakte stem gewichtig te horen doen over haar problemen in het restaurant, moeilijkheden met het personeel, met de leveranciers, met de klanten en met Sara, haar compagnon, de vrouw met wie ze sinds ze zich in Cuernavaca gevestigd had samenwoonde, een mollige Française die altijd vrolijk was, wat haar er overigens niet van weerhield Alicia in het openbaar voortdurend tegen te spreken. Jacqueline kwam tijdens die telefoongesprekken nauwelijks aan het woord, maar het luisteren naar een andere stem verdreef een tijdje de angst die de medicijnen niet altijd volledig konden wegnemen.

Alicia Villalba kwam elke twee of drie maanden naar De Zodiak om haar horoscoop te laten trekken en Jacqueline mee te nemen naar een goed restaurant, want ze zag het als haar professionele taak regelmatig de restaurants van de stad te bezoeken, zich van nieuwtjes op de hoogte te stellen, goede betrekkingen te onderhouden en zich in haar branche te laten zien. En ze was zelfverzekerd genoeg om zich er niets van aan te trekken dat ze in het openbaar verscheen aan de zijde van die dikke, vroegtijdig oud geworden vrouw met haar verschrikte blik, dunne, onverzorgde haar en mollige handjes met afgevreten nagels, die meestal gekleed ging in een zo onelegant gewaad dat het meer weg had van dat van een boetelinge die een religieuze gelofte ging afleggen. Wanneer Jacqueline bij zo'n gelegenheid in de zeldzame omstandigheid verkeerde dat ze een van de lange monologen van de restauranthoudster kon onderbreken, deed ze dat niet om over alchemie, handleeskunde of het tarotspel te praten, zoals haar vriendin graag had gewild, maar om weer eens te herkauwen wat voor afschuwelijke ervaring het was geweest om gearresteerd en in een cel opgesloten te worden, waar ze de eerste twee dagen met een armoedig uitziende misdadigster had doorgebracht, die haar een ontzettende angst had aangejaagd met verhalen over haar gevangenschap, en dan vertelde ze over de verhoren waaraan ze was onderworpen, over haar vreselijke vergissing vriendschap te sluiten met een in alle opzichten labiele Italiaan, een ziekelijke leugenaar die plotseling huiveringwekkende dingen bekend had, misschien onder druk van god mocht weten wat voor martelingen, of misschien ook onder invloed van de waanzin waarvan hij bij verschillende gelegenheden al blijk had gegeven, en ze eindigde altijd met een verwijzing naar het langdurige en onverklaarbare stilzwijgen van Nicolás Lobato, en op dat punt aangekomen zuchtte ze diep, plengde een paar tranen en dronk haastig een paar kopjes kamillethee.

Uitgerekend op een dertiende maart kreeg ze een telefoontje van Alicia Villalba. Over een paar dagen zou ze naar De Zodiak komen en ze wilde haar vragen of ze een afspraak met Mario Requena voor haar kon regelen, hoewel ze niet alleen daarvoor belde, voegde ze eraan toe, ze wilde haar ook vragen zich die dag in de schoonheidssalon een beetje mooi te laten maken en haar beste jurk aan te trekken, want na de sessie zou ze haar meenemen naar L'Aiglon om haar verjaardag te vieren. Ze zouden met z'n tweeën zijn; Sara, haar vriendin, was een paar dagen bij haar ouders op Cozumel. Jacqueline zuchtte. Op de vijftiende werd ze zestig jaar.

Ze kocht een paar sieraden, waaronder een ketting met kleurrijke steentjes, ging naar de kapper en trok een champagnekleurige jurk aan, die een plaatselijke naaister voor haar had uitgelegd zodat hij prettig zat; gelukkig was hij niet al te ouderwets; toen ze in de spiegel keek was ze zelf verbaasd over het resultaat. Meteen bij aankomst van Alicia in De Zodiak merkte Jacqueline dat ze anders deed dan normaal; haar begroeting was bijvoorbeeld nogal dubbelzinnig, triomfantelijk en samenzweerderig tegelijk, zodat Jacqueline het vermoeden kreeg dat haar vriendin die avond een paar ontboezemingen in petto had; misschien wilde ze praten over een probleem tussen haar en de Française, en niet zoals altijd uitvoerig vertellen over haar problemen met leveranciers en koks, de belasting, de vaste gasten, de obers en de vakbond, en dat maakte haar droevig, zoals elke aankondiging van een verandering haar de laatste tijd droevig stemde. Alles kon ze zich voorstellen behalve wat ze die avond te horen kreeg. Om te beginnen berispte Alicia Villalba haar, omdat ze zelfs bij deze gelegenheid geen glas wijn wilde drinken; Jacqueline bleef onverzettelijk, ze durfde het verbod van haar arts op het drinken van alcohol als ze kalmeringstabletten slikte, niet te overtreden. Alicia benadrukte nog eens wat voor bijzondere dag het wel niet was en bracht een toast uit met een droge campari, terwijl Jacqueline hetzelfde deed met een glas mineraalwater. Op Alicia's vraag of de kaarten haar niet iets gunstigs voorspeld hadden, herinnerde ze haar eraan dat ze sinds haar komst naar Cuernavaca maar één keer de toekomst had laten voorspellen, helemaal in het begin. Ze was toen zo van streek geweest dat ze haar lot liever zelf wilde ontdekken dan via middelen die haar in wezen angst aanjoegen.

'Als je het wel gedaan had,' zei Alicia, 'zou je niet verbaasd zijn te horen dat Nicolás Lobato terug is in Mexico. Hij zit in Veracruz, waar hij zich wil vestigen. Hij schijnt vanwege zijn hoge bloeddruk niet terug te kunnen naar de hoofdstad. Hij heeft alle juridische kwesties afgehandeld voordat hij terugkwam en is in de haven een ijzerwinkel begonnen. Wat vind je ervan? Ik neem aan dat het je wel zal interesseren dat hij niet hertrouwd is.'

Jacqueline keek haar gastvrouw een hele tijd zwijgend aan. Ze nam een stukje brood, smeerde er boter op, bestrooide het met zout en begon overdreven rustig te eten. Op een gegeven moment hield ze even op om met een stem waarin geen enkele emotie doorklonk te zeggen: 'Het lijkt me ook niet erg waarschijnlijk dat hij hertrouwd is.' En met veel moeite, tussen enkele hapjes brood met boter door, en met zichtbare tegenzin, slaagde ze erin te formuleren dat hij niet hertrouwd kon zijn, om de eenvoudige reden dat hij nooit van haar gescheiden was.

Alsof Alicia de rest van het betoog al kende, onderbrak ze de jarige: 'Lieve Jacqueline, als een man wil kan hij de grootste klootzak van de wereld zijn. Hij kan achter je rug om scheiden en jij kunt de laatste zijn die erachter komt dat je geen man meer hebt. Ik weet niet of Nicolás al dan niet gescheiden is; het enige wat ik weet is dat hij in zijn eentje in Veracruz is aangekomen. Dat is alles. Ik wilde je zelf het nieuws meedelen.' Er viel een stilte, die ze verbrak met de woorden: 'Je zult het wel vreemd vinden, maar ik moet je bekennen dat ik sinds enige tijd niet meer in jeugdigheid geloof.' Alicia Villalba had een prachtige huid. Haar gezicht, dat steeds mannelijker trekken kreeg, toonde geen enkel spoor van ouderdom, in tegenstelling tot dat van haar gaste. 'Zal ik je nog eens wat zeggen, nu ik toch in een openhartige bui ben? Ik ben er meer dan zeker van dat het leven bij zestig begint. En als ik me niet vergis wordt Nicolás dit jaar zestig.'

'Volgend jaar,' haastte Jacqueline zich haar te verbeteren, want ze herinnerde zich dat haar man één jaar jonger was dan zij. 'Hoe heb je ontdekt dat hij weer in Mexico is?'

'Dat heeft een vogeltje me ingefluisterd, een vriend van me, piep, piep, piep! Hij is zojuist terug- gekomen! Voor zijn aankomst had een zaakwaarne- mer van hem, mogelijk een compagnon, de ijzerwin- kel in het centrum van Veracruz al geopend, op twee straten van hotel Diligencias, snap je?' Ze gaf haar een kaartje met de naam van Nicolás Lobato en daar- onder 'Ferretería Moderna' en het adres in Veracruz. Alicia Villalba keek Jacqueline enigszins verbijsterd aan toen deze niets meer vroeg en ook verder geen toespeling maakte op Nicolás, de scheiding of een mogelijke ontmoeting.

Ze aten hun soep op. Daarna serveerde de ober een chateaubriand met groenten. Het menu werd altijd samengesteld door de restauranthoudster, die de indruk had dat de zwaarlijvigheid van haar gaste te wijten was aan een overmaat van meelproducten en te weinig vlees. Jacqueline was een hele tijd bezig het vlees in kleine stukjes te snijden, die ze daarna uiterst traag opat, met een dermate wazige blik in haar ogen dat een buitenstaander had kunnen den- ken dat ze dronken was. Alicia dacht dat het nieuws haar in verwarring had gebracht, ze had het haar beter heel voorzichtig kunnen meedelen, ze zat nu vast alleen nog maar aan Nicolás te denken, en daar- om was ze stomverbaasd toen haar vriendin met een halfleeg bord voor zich begon te praten en haar gespreksonderwerp niets met het nieuws te maken had, maar van begin tot eind over de onheilspellende dagen van haar arrestatie ging, over het stinkende hondenvoer dat voor eten moest doorgaan, over de nachtenlange verhoren in een benauwd kamertje dat verlicht werd door een felle lamp, zodat ze nooit wist of het dag of nacht was, over de lastercampagne waar ze het slachtoffer van was geworden, en over de krankzinnige verklaringen van de docent kunstgeschiedenis, die ellendige Ferraris, verklaringen die de pers met een ziekelijke aandacht voor details had overgenomen; en die dag breidde ze haar verhaal uit naar een gebied dat ze nog nooit bij Alicia had betreden: het pak slaag dat die krankzinnig geworden Italiaan haar had gegeven meteen nadat hij vrij was gekomen en waarvan ze zich psychisch nooit volledig had hersteld. Daarna zei ze dat ze erg moe was, dat ze omviel van de slaap, en ze vroeg alsjeblieft een taxi voor haar te bellen.

Alicia drong er bij haar op aan nog een tijdje te blijven, ze moest het bramengebak nog proeven dat speciaal ter ere van haar was gemaakt, maar Jacqueline bleef erbij dat ze weg wilde. Toen de gastvrouw merkte hoe vermoeid ze was, vroeg ze de chauffeur haar thuis te brengen.

In de auto barstte Jacqueline in huilen uit en thuis huilde ze zowat de hele nacht door. Ze stond meer dan eens op om voor de spiegel te gaan zitten en tegen zichzelf te zeggen dat de enige man die ze echt bemind en gerespecteerd had Nicolás Lobato was, en dat sinds hij haar had verlaten haar leven geen zin meer had.

Ze sliep hoogstens drie uur. Toen ze de volgende ochtend na het douchen en het ontbijt naar De Zodiak wilde gaan, bedacht ze zich plotseling, ging terug naar haar kamer, pakte haastig een koffer, legde die in de auto en reed weg in de richting van

Mexico-stad. Ze stopte daar alleen om te tanken. Tegen zes uur 's avonds parkeerde ze haar auto voor de Ferretería Moderna in Veracruz.

Doodmoe, halfversuft en geradbraakt van de reis liep Jacqueline als een slaapwandelaarster de ijzerwinkel binnen. Toen ze weer enigszins bij haar positieven kwam, merkte ze dat ze tegenover Nicolás Lobato stond. Ze zag een lange man met brede schouders, gezet maar niet bepaald dik. Alles aan hem glimlachte, zijn lippen, zijn ogen, zijn huid. Je kunt van kilometers afstand zien dat hij gelukkig is, zei ze bij zichzelf. Tegelijkertijd, ondanks het welbevinden dat hij uitstraalde, was duidelijk dat Nicolás de jeugdige aanblik die hij tot op de dag van zijn verdwijning had geboden, in de jaren van zijn afwezigheid was kwijtgeraakt. Ook hij was ouder geworden. Het was een gelukkige, maar oude man. Hij keek haar enigszins verbluft aan, en toen hij haar ten slotte herkende, wisten ze geen van beiden wat ze moesten zeggen. Jacqueline stak haar hand uit en wendde haar blik af. Nicolás Lobato opende het hekje van de toonbank, liep op haar af en omhelsde haar zoals je een zus omhelst. Daarna deelde hij een paar orders uit aan het personeel. Hij zou die avond niet terugkomen om af te sluiten. Hij vroeg Jacqueline naar haar bagage en reed haar naar het hotel waar hij logeerde.

Ze dacht dat ze de hele nacht zouden praten, maar dat was niet het geval. Ze bespraken maar een deel van wat er in de jaren van hun scheiding was gebeurd. Ze kreeg te horen dat advocaat Paredes haar man de krantenartikelen had gestuurd die in de periode dat ze gevangenzat waren verschenen en dat hij ten slotte was gaan geloven wat er gezegd werd over haar liefdesrelatie met Ferraris, al had hij natuurlijk geen geloof gehecht aan de verklaringen over het plan hem te vermoorden. Wat een onzin! Hij vertelde dat zijn hoge bloeddruk hem had doen besluiten terug te keren naar zijn land, omdat hij nergens anders wilde sterven, dat hij zijn schulden tot de laatste cent had afgelost, dat zijn droom, Las Palmas, te hoog gegrepen was, maar dat het toch de moeite waard was geweest om daarvoor te leven, al had het lot, de enige instantie die de waarheid kent, hem zijn werkelijke plaats getoond door hem zijn dagen te laten eindigen in een ijzerwinkel, net zoals hij ooit begonnen was, dat de jaren in het buitenland hem geleerd hadden het leven te nemen zoals het komt, dat het hem goed beviel in de havenstad en dat hij over een paar maanden het huis zou kunnen betrekken dat hij al gehuurd had met een optie om het te kopen; momenteel werd het verbouwd. Ze dacht dat het daarna haar beurt was om te praten, maar zodra Nicolás het huis genoemd had, draaide hij haar de rug toe en viel in slaap.

Ze werden al vroeg door de zon gewekt. Bijna zonder een woord te zeggen douchten ze, kleedden zich aan en gingen naar beneden om te ontbijten. Ze schaamde zich dat ze zichzelf de laatste jaren zo had verwaarloosd. Ze bleef even voor een spiegel staan: ze zag een dikke, uitgezakte heks. Ze vertelde hem dat ze naar Cuernavaca verhuisd was, waar ze een baan had gevonden om in haar onderhoud te voorzien. Wonen in die stad gaf haar het gevoel dicht bij hem te zijn. De verhuizing had haar leven gered: van het gebouw waar ze in Mexico-stad hadden gewoond waren alleen de funderingen nog over. De aardbeving had het met de grond gelijkgemaakt. Na het ontbijt nam Nicolás haar mee naar een juwelier, waar hij twee trouwringen kocht; hij pakte haar hand en schoof er een aan haar ringvinger, naast de oude ring die ze nooit had afgedaan. Daarna schoof hij de andere ring aan zijn eigen vinger.

'En vanaf nu praten we nergens meer over! Wat ieder van ons de afgelopen jaren heeft meegemaakt behoort tot het verleden! Deze trouwringen wissen alles uit!' riep Nicolás, en hij deed het met zo'n sterk Spaans accent dat zijn ironie het voor beiden gemakkelijker maakte zich in de nieuwe situatie thuis te voelen. Jacqueline dacht terug aan het lezen van de tarotkaarten bij haar aankomst in Cuernavaca en ze vroeg zich af of deze echtelijke hereniging het pentagram dat haar leven bepaalde eindelijk zou sluiten. En op dat moment herinnerde ze zich dat hiermee, als ze zich niet vergiste, haar vierde levensfase begon en dat er nog een laatste ontbrak om het pentagram volledig te maken.

Nicolás nam haar in de auto mee voor een toeristisch uitstapje naar Boca del Río en maakte aan een stuk door banale opmerkingen over de plaatsen waar ze langs reden, alsof zij Veracruz niet kende. Op de terugweg sloeg hij bij Villa del Mar rechtsaf en reed drie of vier straten verder om te stoppen voor een huis waar op het dak een paar metselaars aan het werk waren. Met een breed gebaar liet hij het haar zien.

'Jouw huis?'

'Zo is het, waarde mevrouw! Dit is het huis! Binnen twee maanden kunnen we verhuizen. Oké,' voegde hij er energiek aan toe, 'ik moet snel terug naar de ijzerwinkel. Ik haal je vanmiddag om twee uur op in het hotel om samen te gaan eten.'

Zelfs de bevelende toon waarop Nicolás Lobato haar zijn instructies gaf vond ze prettig. Terug in het hotel bekeek ze zichzelf opnieuw in de spiegel en kon een gevoel van afkeer niet onderdrukken. Ze vervloekte Cuernavaca. Die afschuwelijke plaats had haar veranderd in een koe. Ze moest onmiddellijk aan de slag om haar vroegere figuur terug te krijgen. Niets was daarvoor beter geschikt dan zwemmen in zee! Ze vroeg een gesprek aan met Cuernavaca en kreeg meteen verbinding. Ze vertelde Alicia Villalba alles wat er was gebeurd. Ze zei dat ze in Veracruz zou blijven wonen en vroeg haar of ze zo goed wilde zijn iemand te sturen om haar huis op te zeggen en of ze haar weinige spullen op wilde slaan, totdat ze haar zou laten weten waar ze die naartoe kon sturen. Ze ging op bed liggen, maar kon onmogelijk slapen. Ze verliet haar kamer, stapte in de auto en reed doelloos door Veracruz. Heel even kreeg ze zin gas te geven en pas te stoppen als ze bij café-boekhandel De Zodiak zou zijn aangekomen. Ze voelde zich onwaardig, ze had van haar leven een puinhoop gemaakt. In de meer dan dertig jaar dat haar huwelijk met Nicolás Lobato nu duurde, had ze alleen maar stommiteiten begaan. Ze kocht een paar kranten en tijdschriften en keerde terug naar haar kamer; daarna ging ze opnieuw de straat op om een schrift en een pen te kopen. Ze wilde over haar verlovingstijd en haar eerste huwelijksjaren schrijven, maar ze leek alles wat ze in de workshop creatief schrijven geleerd had vergeten te zijn. Ze deed verschillende pogingen de verre studentenjaren te beschrijven, de avond waarop Nicolás haar had meegenomen naar een nachtclub om Kalantán te zien dansen, maar ze kwam niet verder dan een halve pagina en elke regel wemelde van de doorhalingen. Alles in haar proza kwam haar gebrekkig en armoedig voor. Ze ging weer naar buiten, dronk een kopje koffie en merkte ineens dat het vijf over twee was, maar ze wist niet meer of Nicolás haar zou ophalen of dat zij naar de ijzerwinkel zou komen. Ze had geen telefoonnummer. Ze zocht het op in een telefoonboek maar de naam van de ijzerwinkel stond er niet in, ongetwijfeld omdat die nog te nieuw was. Ze ging naar haar kamer en liep meteen weer naar beneden; en net toen ze hem wilde gaan halen, zag ze hem aan komen lopen, stralend, energiek, terwijl zij het gevoel had dat ze één bundel zenuwen was en elk moment kon flauwvallen. Ze was bang dat ze in het openbaar in huilen zou uitbarsten, maar dit keer kon ze zich bedwingen.

Ze aten in restaurant Prendes. Daarna dronken ze in een van de bars onder de arcaden een kopje koffie en een glaasje. Jacqueline kreeg het gevoel dat de jaren niet voorbij waren gegaan. Ver weg van zijn gouverneurs, bankiers en andere gewichtige personen werd Nicolás op een bepaalde manier weer de eenvoudige, joviale rechtenstudent van veertig jaar geleden. Voor het eerst sinds ze antidepressiva slikte durfde ze die dag een glas brandy bij haar koffie te drinken. De invloed van de drank, de marimba-muziek, het onvermoeibare geloop van de mensen tussen de tafeltjes door, de algehele sfeer van uitbundigheid zorgden voor een wonder: haar ogen begonnen weer op te lichten. Ze keek verrukt naar Nicolás. Tussen zijn toegeknepen oogleden door was een lome blik zichtbaar die uitdrukking gaf aan zijn vreugde over de hereniging.

Plotseling drong de klank van een vreemde taal tot hen door. Een stel jonge matrozen aan het tafeltje naast hen sprak Portugees. Jacqueline genoot opeens van de muzikaliteit van die stemmen, van de harmonie van mannelijke, speelse en ordinaire klanken, afkomstig van degenen die de taal spraken. Ze bleef gefascineerd naar het groepje kijken en vroeg haar man waar hij dacht dat die jongens vandaan kwamen. Hij antwoordde dat het vast Brazilianen waren; Portugezen gedroegen zich anders, minder spontaan. De onderdrukte verlangens van de afgelopen jaren bruisten zo onstuimig op dat het haar bijna te veel werd. Alleen al het horen van die taal leek haar te bedwelmen. Ze haalde haar zakspiegeltje tevoorschijn, hield het voor haar gezicht en borg het met een diep gevoel van afkeer weer op. Ze keek naar de bezwete gezichten van die jongemannen, naar hun van de hitte slaperige ogen onder zware wimpers, naar de fluweelzachte en gevaarlijke spieren; ze genoot van de welluidendheid van de taal die ze spraken en van de beweging van hun lichamen. De meest gewaagde droombeelden drongen zich zo aan haar op dat het bijna pijn deed. Ze wipte op en neer op haar stoel, keek weer naar haar echtgenoot en zag nu een bekrompen oude man die ongevoelig was voor haar verlangens en behoeften en met een onnozele glimlach probeerde jong te lijken, en ze zei bij zichzelf dat ze de grootste dwaas van de wereld was geweest door niet een of meer minnaars te nemen in al die jaren dat ze opgesloten had gezeten in Cuernavaca, wachtend op het moment dat die sukkel een teken van leven zou geven. Woedend herhaalde ze bij zichzelf dat er nooit een grotere idioot op deze wereld had rondgelopen dan Jacqueline Cascorró, omdat ze al die tijd had zitten wachten op deze onbenul, die op een dag de brutaliteit had gehad zich een Rothschild te wanen.

Ze keek weer naar de jonge Brazilianen. Ze pelden de grote garnalen met hun vingers. Toen ze die vettige handen, glimmende lippen en gulzige gebaren zag, voelde ze plotseling iets als een elektrische schok door haar lichaam gaan en kreeg ze een visioen dat even volmaakt was als dat wat ze vele jaren eerder had gehad op het moment dat ze een krabbenpoot brak en een fles champagne hoorde ontkurken. Ineens wist ze dat de enige manier om met Nicolás Lobato af te rekenen gif zou zijn. De artsen zouden als doodsoorzaak een garnalenvergiftiging vaststellen. Haar been streek langs dat van haar man; ze legde tersluiks een hand op zijn dij; ze wilde die omhoog laten glijden naar zijn lies, maar dat durfde ze niet. De blik die ze op hetzelfde moment dat ze zijn been streelde op het gezicht van Nicolás Lobato richtte, was vervuld van een opgekropte en blinde haat.

ZEVEN

Maanden later kwam een echtpaar een restaurant in Villa del Mar binnen. De man duwde een rolstoel waarin een vrouw zat. Hij reed naar een tafeltje en hielp de vrouw heel voorzichtig op te staan en plaats te nemen op een gewone stoel. Het waren uiteraard Jacqueline en Nicolás Lobato. Waar ze het over hadden was niet te verstaan. Zowel zijn gelaatsuitdrukking als zijn gebaren deden denken aan die van een vader die een klein, nukkig meisje tegelijk berispt en kalmeert. Jacqueline zei bijna niets. Ze kon maar met moeite één oog openhouden, het dichtgeknepen, bloederige ooglid was paars verkleurd, en wie haar daar zo zag zitten zou onwillekeurig denken dat de vrouw die dag beter thuis had kunnen blijven. Haar lippen waren afschuwelijk opgezwollen, alsof ze herstellende was van een of andere vergiftiging. Ze reageerde nauwelijks op de woorden van haar man en beperkte zich ertoe minachtend haar schouders op te halen en met een moeizaam hoofdschudden iets te ontkennen. Ze vierden hun zoveelste huwelijksdag.

Coyoacán, maart-november 1990

De derde melodie

Je zegt: 'Ik weet het niet, ik heb niet eens gemerkt hoe de tijd is omgevlogen.' En eigenlijk kun je dit onloochenbare feit nauwelijks geloven. Denk er alleen maar aan hoe je je 's morgens voor de spiegel staat te scheren: het verouderde gezicht dat je weigert te herkennen, de moeizame pogingen bepaalde gelaatsuitdrukkingen te doen herleven waarmee je dertig of veertig jaar geleden de wereld meende te kunnen betoveren. Wat een eindeloos vertrouwen om te veronderstellen dat die grimassen die de spiegel terugkaatst ook maar iets te maken hebben met de foto's uit je jeugd! Je bent oprecht verontwaardigd over de kosmische onrechtvaardigheid, omdat er nooit een duidelijke aanwijzing is geweest voor de naderende ramp. Of misschien was die er wel, maar heb je die gewoon niet opgemerkt. Het lijkt wel of de gedaanteverwisseling van jeugdig naar verwelkt zich heeft voltrokken terwijl je in coma lag. Maar je kunt er niet omheen: feit is dat je oud geworden bent.

Wanneer ik terugkijk zijn de resultaten tamelijk pover. De geleefde jaren worden steeds vager; het verleden komt me voor als een stapeltje verbleekte en vergeelde foto's ergens in een kast die niemand meer opendoet. En wat het heden betreft, ik ben inmiddels vijfenzestig en woon in een stad waar ik nooit gedacht had te zullen wonen, maar waar ik me uitstekend op mijn gemak voel, volledig verstoken van het kosmopolitische kader van een groot deel van mijn verleden. Als ik naar een kiosk ga, tref ik daar geen kranten in twaalf of vijftien talen aan zoals ik gewend was in sommige steden waar ik heb gewoond. Aan de andere kant vind ik er ook niet de subtiele, ouderwetse, afstandelijke vervreemding van bijvoorbeeld Ronda, Wiesbaden, Marienbad, Kotor of Zacatecas, ver weg van het moderne leven, plaatsen waar ik gewoon was me terug te trekken om uit te rusten en te schrijven; en nog minder de oorspronkelijke landschappen van een vijandige wereld: kleine dorpen op Madeira, Lanzarote en Fuerteventura, bij Almería, in de Hoge Tatra, bij de Tuxtlas. Dat is allemaal verdwenen. Wat is mijn verleden anders dan fletse flarden onvolledig verwerkte dromen?

Ik herinner me een banket ter ere van een beroemde Duitse schrijver, een echte geleerde, in een stijlvol paleis in Rome. Iemand bracht het onderwerp ouderdom ter sprake, ik meen in verband met Berenson, en de gehuldigde schokte daarop de aanwezigen door op luidruchtige toon die alle andere gesprekken deed verstommen te zeggen dat er momenten waren waarop hij met genegenheid terugdacht aan de druiper die hij in zijn jeugd op een schip had opgelopen en aan de ruwe geneeswijze die werd toegepast, vooral als hij die kwaal vergeleek met sommige weerzinwekkende kwalen waar oude mensen aan leden, kwalen die ten slotte hun Nemesis werden: problemen met blaas en prostaat, ischias, jeukende hoofdhuid, koude rillingen, zwakke sluitspier, bevende handen; en op dat moment verhieven de elegante genodigden, voor het overgrote deel ouderen, hun stem en verklaarden eensgezind dat zij helemaal geen last hadden van het ouder worden, dat ze het niet eens merkten, dat ze zich nog nooit zo goed hadden gevoeld, dat hun creativiteit groter was dan ooit tevoren, dat hun taalgebruik de laatste tijd ronduit weelderig, diepzinnig, vernuftig en barok was, ieder van hen schreef beter dan de anderen, en de wellustige grijsaard luisterde met toegeknepen ogen naar de volksstam die de ouderdom zo nadrukkelijk, opgewonden en hysterisch ontkende, alsof hij ervan genoot afstand te nemen van het heden en zich onder te dompelen in de geneugten van het verleden: de heldendaden van zijn incontinente penis, de vlekken als decoraties in zijn ondergoed. Zijn enige levensteken was een spottende glimlach, die voor de aanwezigen bestemd was.

Er zijn dagen dat ik wakker word in de overtuiging dat elke handeling die ik in mijn leven heb verricht niet het product is geweest van mijn wil maar van een voorbeschikking. Als de vrije wil al een rol heeft gespeeld, dan een zeer beperkte. Ben ik altijd inwisselbaar geweest, een man wiens verlangens, plannen, dromen en initiatieven niet uit zichzelf voortkwamen maar van buitenaf werden opgelegd? Ben ik soms een marionet die door een of andere onbekende wordt gestuurd? Ja, dat ben ik! En is dat wat ik 'mijn wil' noemde dan hooguit iets waarmee ik een van de vele gerechten op het menu van een restaurant kies? Inderdaad, zo is het! Vis in plaats van vlees bestellen en aan asperges de voorkeur geven boven paddestoelen, verder gaan mijn keuzemogelijkheden niet, verder reikt mijn vrije wil niet? Juist, dat heb je goed begrepen!

Blijkbaar was zelfs het restaurant in de omgeving van Palermo waar ik de paddestoelen verkoos boven de asperges en waarvan de met antieke volksmotieven versierde gevel me ertoe bracht de straat over te steken en naar binnen te gaan, geen eigen keuze, maar daar kom je vanzelfsprekend pas veel later achter. Het was duidelijk dat ik noodgedwongen terecht moest komen in die gelegenheid, waar zich iets voordeed wat gebeurtenissen uit mijn verleden verbond met toekomstige gebeurtenissen, al had ik daar toen natuurlijk nog geen vermoeden van. Alles was voorbestemd, tot in de kleinste details uitgewerkt, en blijkbaar was mijn tijd nog niet gekomen. Plotseling klonk het geratel van een machinepistool, de lucht vulde zich met rook, ik voelde een scherpe pijn bij mijn voorhoofd en schouder en zakte in elkaar. Toen ik bijkwam, zag ik om mij heen een wereld van verpleegsters, doktoren, politieagenten, gillende vrouwen en lijken of gewonden die net als ik op de grond lagen. Ik heb een paar keer op het punt gestaan dood te gaan, een keer bij een auto-ongeluk en een andere keer aan de gevolgen van een chirurgische ingreep. Die keer waar ik het nu over heb, ging het om een afrekening tussen obscure maffiosi. Ik heb altijd gedacht dat ik voor mijn vijftigste bij een of ander gewelddadig incident om het leven zou komen, en om het nog smadelijker te maken: ergens in het openbaar. Ik genoot bij voorbaat al van de berichten in de pers, het mysterie, de roddelpraatjes, het schandaal. Bij dat bewuste voorval vielen verscheidene doden; ik weet niet hoeveel maffiosi en hoeveel toevallig aanwezige toeristen er gestorven zijn. In de ambulance hoorde ik een verpleegster tegen de ziekenbroeder zeggen dat ze dacht dat de 'narco' (ze had het over mij) het ziekenhuis niet levend zou halen. Maar ze vergiste zich, ik ben er uiteindelijk op eigen benen uitgelopen. Er zijn sindsdien vele jaren verstreken en ik schrijf nog altijd en wandel elke ochtend met mijn honden over de kronkelpaadjes van een heuveltje in mijn tuin. Vandaag de dag kan ik nauwelijks begrijpen hoe het komt dat ik het heb overleefd. Ik ben drie gevaarlijke crises te boven gekomen, ik heb op de allerlaatste drempel gestaan en ben op mijn schreden teruggekeerd om vanochtend, 25 november 1998, de televisie aan te zetten en van een nieuwslezer het wonderbaarlijkste nieuws te vernemen dat iemand zich kan voorstellen. De weerzinwekkende hyena heeft vandaag, op zijn verjaardag, gehuild van woede toen hij hoorde dat hij, in tegenstelling tot wat hij verwacht had, nog niet weg mocht uit de psychiatrische inrichting waar hij werd vastgehouden.

Ik denk aan een schrijver die niet is gezwicht voor de vegetatieve fase van zijn beroep, die compromisloos schrijft, niet probeert de machtigen of de massa voor zich in te nemen, momenten van inspiratie afwisselt met lusteloze onderbrekingen, dat wil zeggen, momenten van passief onderzoek, van het opnemen van beelden of zinnen die hem misschien ooit nog eens van pas kunnen komen. Op zijn meest uitzinnige momenten zal hij zeggen dat de literatuur de rode draad is geweest die alle fasen van zijn leven met elkaar verbindt. Daarom kost het hem geen moeite te erkennen dat hij zijn beroep niet heeft gekozen, maar dat het de literatuur zelf is geweest die hem in haar rijen heeft opgenomen.

Ik ben dol op ziekenhuizen. Ze geven me de zekerheden uit mijn kindertijd terug: het eten staat precies op tijd naast je bed. Je hoeft maar op een knop te drukken of er verschijnt een verpleegster, soms zelfs een dokter! Ik krijg een pilletje en de pijn verdwijnt; ze geven me een injectie en ik val meteen in slaap; ze brengen me een ondersteek om te plassen en helpen me op te staan als ik moet poepen; ze zorgen voor boeken, schriften, pennen. Ze zeiden dat het schampschoten waren, dat er geen enkel gevaar bestond, dat het alleen een kwestie was van geduld, en van rust, veel rust; ik gehoorzaam in alles, als een volgzaam kind, maar de koorts zakt niet, sterker nog, 's nachts stijgt hij gevaarlijk, ik heb zwachtels over mijn hele lichaam en een van mijn voeten zit in het gips, op een ochtend hebben ze een reusachtige naald in mijn rug gestoken om vocht achter mijn longen weg te halen, de pijn was ondraaglijk, ik verloor het bewustzijn en werd wakker in mijn kamer. Toen ik mijn ogen opende zag ik verscheidene boeken naast me liggen en een kaartje met de naam van de honorair consul van Mexico in Palermo. Hij had me die boeken bezorgd, allemaal in het Italiaans: *Il sentiero dei nidi di ragno* van Calvino; *Il Gattopardo* van Lampedusa; *Pietra lunare* van Landolfi; de *Canti* van Leopardi. Als de consul ze heeft uitgekozen, dan heeft hij een uitstekende smaak, dacht ik; hij had me alleen nog iets van Svevo of Gadda hoeven brengen om cum laude te slagen. Ik versta bijna alles wat ze in het Italiaans tegen me zeggen, ondanks het Siciliaanse accent en de Siciliaanse uitdrukkingen, ik spreek het ook, maar de eerste dagen blijk ik niet in staat het te lezen. Ik blader de boeken en kranten door en begrijp er bijna niets van. Toch lees ik de poëzie van Leopardi met plezier, alleen al om zijn muziek op mijn lippen te proeven, het ritme is alles wat ik waarneem en die simpele emotie brengt me aan het huilen. In de kranten en tijdschriften staan gruwelijke foto's. Militairen met ploertige gezichten, tanks, rijen gevangenen, en ik moet de verpleegster roepen, die dingen tegen me zegt die ik verkeerd begrijp.

Ik meen me te herinneren dat ik er tijdens de ergste dagen, toen ik nog geen blik op een boek kon werpen, behagen in schepte aan taal te denken, die wonderbaarlijke gave die ons vanaf het begin werd geschonken. Een schrijver weet dat zijn leven in taal besloten ligt, dat zijn geluk of ongeluk ervan afhangt. Ik ben altijd een liefhebber van het woord geweest, de slaaf ervan, een verkenner van zijn lichaam, een mol die in zijn ondergrondse graaft; ik ben ook zijn inquisiteur, zijn advocaat en zijn beul. Ik ben de beschermengel en de verdorven slang, de appel, de boom en de duivel. Babel: alles wordt spraakverwarring omdat er in de literatuur geen enkele term is die voor verschillende mensen hetzelfde betekent, maar op dit moment heb ik geen zin meer me nog langer bezig te houden met dat zinloze dilemma waaraan ik soms zoveel belang toeken, namelijk de vraag of iemand schrijver wordt omdat de Godin van de Literatuur dat zo heeft bepaald of juist om heel andere, normalere redenen: omgeving, kindertijd, school, vrienden en boeken, en vooral instinct, want dat is het met name wat iemand tot die roeping brengt. Aan de andere kant, uiteindelijk is het werk het enige wat er werkelijk toe doet.

Ik herinner me niet hoelang ik daar gelegen heb voordat ik weer enigszins hersteld was. Op een gegeven moment was het alleen een kwestie van wachten, irritatie, lezen, brieven die heen en weer vlogen tussen Palermo en Mexico en Mexico en Palermo. Toen de koorts gezakt was, kreeg ik bezoek van een priester; hij stelde zich voor en zei dat hij de patiënten regelmatig bezocht om ze geestelijke bijstand te verlenen. In het begin hoorde hij me uit over mijn aanwezigheid in dat restaurant, waar een maffiabaas een familiefeest vierde en een rivaliserende bende de boel kwam verpesten, daarna liet hij doorschemeren dat hij wat er zojuist in Chili was gebeurd als een heilzame uiting beschouwde van een samenleving die door het communisme was verstikt, een overwinning van de gelovigen op de vijanden van Christus, en met de dag sloeg hij een hogere toon aan, totdat hij een regelrechte lofzang aanhief op de militairen en de door de Voorzienigheid gezonden held, de grote generaal, die zijn leven in de waagschaal had gesteld voor de zaak van God. Ik had geen zin met hem in discussie te gaan, daarvoor had ik me over de staatsgreep, de waanzinnige wreedheid, de minachting voor het leven te kwaad gemaakt. Ik antwoordde met tegenzin dat ik zijn mening niet deelde; dat ik mijn nieuws uit Mexico kreeg en dat het niet overeenstemde met zijn standpunten, en ik verzocht hem me te laten slapen omdat ik vreselijke hoofdpijn had. Tijdens zijn bezoek kwam er een verpleegster binnen, een Spaanse non, die in stilte mijn kamer opruimde, mijn temperatuur en mijn bloeddruk opnam en bleef totdat de priester vertrokken was. Ze waarschuwde me voor hem en zei dat ik niets moest zeggen, dat ik niet eens moest reageren, omdat het een slecht mens was, een fanatieke aanhanger van de dictatuur van Franco, die beul van haar land, en toen keek ze plotseling op de klok, hield halverwege de zin haar mond en verliet haastig de kamer. Soms liet ze haar *Unità* bij me achter, zodat ik het nieuws over Chili kon volgen. Ik herinner me haar naam niet, misschien heb ik die ook nooit geweten, maar ik denk aan haar als aan de rode non uit Valladolid. Ze was toen al niet jong meer, dus de kans is groot dat ze inmiddels is overleden, al zou ik graag willen dat ze nog leefde en dat ze vanmorgen op het nieuws heeft gezien dat een speciale rechtbank van The House of Lords in Londen heeft bepaald dat noch de gevorderde leeftijd van de oude folteraar uit Chili, die sinds een maand in een luxueuze inrichting in een buitenwijk van Londen zit opgesloten, noch zijn functie van senator reden zijn hem te ontheffen van rechtsvervolging wegens misdaden tegen de mensheid. De oude rioolrat huilde, hij dacht zijn verjaardag te kunnen vieren met vrienden en familie en barstte in tranen uit toen hij het nieuws hoorde. Hij was ervan overtuigd dat alles in gereedheid was gebracht om hem terug te laten keren naar het land dat hij jarenlang in een hel had veranderd.

In mijn geheugen ligt ongetwijfeld mijn wereld van gisteren opgeslagen, keurig geordend, van het moment dat ik me in de moederschoot nestelde tot aan het verrukkelijke ogenblik waarop ik deze regels schrijf. Soms neem ik een echo waar van de gevoelens en emoties uit mijn verleden, vang ik een glimp op van gebaren, hoor ik stemmen. De impulsen waaruit mijn eerste verhalen zijn voortgekomen, dringen met tussenpozen tot me door als een goudkleurige weerspiegeling. Daar ben ik dan, halverwege de jaren vijftig: ik voel nog de energie van die geestverschijning. Ik droom van geweldige slagregens en bliksemflitsen die de horizon verduisteren door vormen aan te nemen als reusachtige bomen, enorme fosforescerende röntgenfoto's. Ik ben blij dat ik de wanorde, de chaos, de angst, de slechte gezondheid heb overleefd. Mijn eerste verhalen komen me nu voor als een poging mijn jeugd uit te bannen. Dat vind ik vreemd; ik heb altijd gedacht dat die verhalen een eerbetoon waren aan mijn kindertijd, aan het leven op het land, aan mijn eerste ziekten, mijn vroegtijdige depressieve neurose, en nu blijkt dat het misschien niets van dat alles is geweest. In wezen probeerde ik me in versluierde vorm van alle banden te bevrijden. Ik wilde alleen mezelf zijn. Wat een ver-

warring! En om die zo vurig verlangde onafhanke-
lijkheid te verwerven zocht ik steun – en dat was wél
bewust – bij de literaire procédés die gebruikt werden door twee auteurs die ik bewonderde: Jorge Luis
Borges en William Faulkner.

In die eerste fase neigde mijn manier van schrijven naar soberheid en ernst. De personages van die
verhalen vertonen voortdurend nogal tragische trekken. Het was een wereld zonder licht, ook al was die
gesitueerd in de Mexicaanse tropen, vlak bij de zee.
Alles verdorde en verging op de oude haciënda's; het
leven ging onstuitbaar en traag in ontbinding over.
De grootste angst van de volwassenen leek een bezoek aan de schoenmaker waarbij hij zou zeggen dat
de Engelse schoenen nu echt niet meer gerepareerd
konden worden. Ze wisten dat ze niet blootsvoets de
straat op zouden gaan, maar in feite deden ze dat bijna nog liever dan te moeten rondlopen op de afschuwelijke schoenen van nationale makelij. De huizen
werden bewoond door bejaarden, oude vrijsters van
allerlei leeftijden, knorrige, onbeschofte bedienden
en huilerige, ziekelijke, overgevoelige en onvoorstelbaar treurige kinderen, wier ogen alle hoeken van
het huis afspeurden en zelfs de kleinste veranderingen in de gelaatsuitdrukkingen van de bewoners
registreerden, en die je met hun ongecontroleerde
bewegingen en schelle stemmen het gevoel gaven
dat het einde nabij was. De jonge mannen en vrouwen die in die grote vervallen huizen verbleven,
moesten wel een indruk van hulpeloosheid, verbijstering en verlorenheid achterlaten; de bekwamen, de
slimmen, de zelfverzekerden waren na de revolutie

naar de steden getrokken of hadden er simpelweg de voorkeur aan gegeven langzaam weg te kwijnen.

De volgende fase van mijn schrijverschap, de tweede, was vol levenskracht en overtuiging. Ik was nog maar net toegelaten tot de universiteit in Mexico-stad of ik begon te reizen. Het was een manier om me af te zetten tegen mijn jeugd, waarin ik opgesloten had gezeten in kamers die doordrenkt waren van de weeë geur van medicinale drankjes en kruiden. Ik ging naar New York, naar New Orleans, naar Cuba en Venezuela. In 1961 besloot ik voor een paar maanden naar Europa te gaan, ik bleef er bijna tweeenhalf jaar voordat ik naar huis terugkeerde. In die tijd schreef ik twee verhalenbundels en mijn eerste twee romans: *El tañido de una flauta* (Het spelen van een fluit) en *Juegos florales* (Bloemenspelen). Ik sta nog verbaasd over de regelmaat waarmee ik in die zo bewogen tijd kon werken. Zoals ik het in mijn kindertijd een geschenk uit de hemel vond dat ik malaria kreeg – ik mocht de hele dag thuisblijven en onophoudelijk romans lezen, terwijl ik intussen mijn broer beklaagde dat hij zijn tijd moest verdoen met zulke onaangename bezigheden als 's morgens naar school gaan en 's middags tennissen of paardrijden – was ik in mijn jeugd juist gelukkig omdat ik me nergens opgesloten hoefde te voelen. Ik trok wonderlijk vrij door de wereld, las uitsluitend voor mijn plezier en had elke verplichting die ik als hinderlijk ervoer uit mijn leven verbannen. Er gingen veertien jaar voorbij tussen het einde van mijn studie en het behalen van mijn doctoraal examen. Ik hoorde bij geen enkele literaire stroming en maakte geen deel uit van de redactieraad van welk tijdschrift ook. Daarom hoefde ik me ook niet te onderwerpen aan de smaak van een bepaalde groep of aan de mode van het moment. Het tijdschrift *Tel Quel* was voor mij een dode letter. Ik begon vrijelijk mijn Olympus te beklimmen. Ik verdiepte me in de Midden-Europeanen toen die hier, afgezien van Kafka, nog door niemand gelezen werden: Robert Musil, Elias Canetti, Odon von Horváth, Hermann Broch, Heimito von Doderer; ik was gefascineerd door de kennismaking met die traditie; daarna ging ik verder met de Slaven, die ik hier niet zal opsommen omdat het neer zou komen op meer dan een bladzijde met louter namen. In elk land waar ik kwam maakte ik vrienden, onder wie een aantal schrijvers. Ik heb altijd de behoefte gehad over literatuur te praten; de gesprekken met die paar bevriende schrijvers gingen meestal over de boeken die we gelezen hadden en later, toen we elkaar beter leerden kennen, over de literaire procédés die ieder van ons gebruikte, de traditionele, en die waarvan we dachten dat we ze zelf hadden ontdekt. De enige afwijking van die manier van leven was een periode van tweeënhalf jaar in Barcelona, een stad waar ik volledig blut, zonder een cent op zak, aankwam; ik vond mijn modus vivendi in uitgeverskringen en dat bood me de gelegenheid in korte tijd contact te leggen met de literaire wereld. Maar ook toen hield ik me verre van elke literaire concurrentiestrijd. Men zou kunnen denken dat het een onaangename situatie was, maar ik vond het geweldig. Ik genoot een absolute, bedwelmende vrijheid. Ik voelde me tegelijkertijd de goede en de slechte wilde. Ik was de enige die me regels voorschreef en verplichtingen oplegde. In Barcelona heb ik ten slotte mijn eerste roman geschreven: *El tañido de una flauta*. Mijn ervaring in die stad was diepgaand; doorslaggevend, zou ik bijna zeggen, maar ik hield mijn eigen literatuur geheim. Het was nog niet de tijd om naar buiten te treden.

Tijdens dit lange verblijf in Europa stuurde ik mijn manuscripten naar Mexico. Daarna vergat ik ze. Een jaar later ontving ik een pakje met exemplaren van mijn eerste boek, mijn vrienden stuurden me recensies, weinig, heel weinig, meestal één of twee. Vijfentwintig jaar lang hield ik me staande mede dankzij de steun van dat handjevol lezers.

In deze tweede periode ben ik voortdurend bezig geweest mijn persoonlijke omstandigheden in mijn werk op te nemen. Mijn verhalenbundels en mijn eerste twee romans vormen een getrouwe afspiegeling van mijn bewegingen, een kroniek van mijn hart, een register van wat ik gelezen heb en de catalogus van mijn omzwervingen uit die tijd. Het zijn de logboeken van een bewogen tijdperk. Als ik een paar willekeurige bladzijden uit een van die boeken lees, weet ik niet alleen meteen waar en wanneer ik ze geschreven heb, maar ook wat me op dat moment boeide, wat ik las, wat voor plannen ik maakte, welke mogelijkheden zich aandienden en welke zorgen me kwelden. Ik zou kunnen zeggen wat ik in die dagen in het theater of in de bioscoop heb gezien, wie ik elke dag opbelde en nog veel meer details van de dagelijkse trivia waar ik nooit zonder heb gekund. Een van mijn boeken heet *Los climas* (De klimaten), een ander *No hay tal lugar* (Zo'n plaats is er niet); de eerste titel verwijst naar het zoeken van een ruimte, de tweede ontkent het bestaan ervan. Tussen die beide uitersten bewegen zich mijn romans.

De volgende tempowisseling, de derde melodie van mijn schrijverschap, wordt gekenmerkt door de parodie, de karikatuur, de losbandigheid en een onverhoedse, uitbundige felheid. Het corpus uit die periode omvat drie romans: *El desfile del amor* (Het defilé van de liefde, 1984), *Domar a la divina garza* (Het temmen van de goddelijke reiger, 1988) en *La vida conyugal* (Het geluk getrouwd te zijn, 1991, Nederlandse vertaling 2003). Nu, van een afstand bezien, verbaast die plotselinge vlaag van joligheid en absurditeit in mijn schrijven me niet. Het zou me eerder moeten verbazen dat die zich zo laat heeft aangediend, want als er iets is wat op mijn lijst met lievelingsauteurs veelvuldig voorkomt, dan zijn het wel de scheppers van een parodistische, excentrieke, ontheiligende literatuur, waarin humor een cruciale rol speelt, vooral als die absurd is: Nikolaj Gogol, Laurence Sterne, Vladimir Nabokov, Witold Gombrowicz, Samuel Beckett, Michail Boelgakov, Carlo Goldoni, Jorge Luis Borges (als hij zichzelf is, maar ook als hij verandert in Bustos Domecq), Carlo Emilio Gadda, Julio Torri, Augusto Monterroso, Ronald Firbank, Carlos Monsiváis, César Aira, Franz Kafka, Flann O'Brien, en anderen, Thomas Mann, bijvoorbeeld, wiens opneming in dit gezelschap op het eerste gezicht alleen al verdacht lijkt omdat hij het genre overstijgt, maar die de origineelste schepper van parodieën in de twintigste eeuw is. Na de publicatie van de laatste van de drie romans hebben verscheidene critici de groep als één enkel werk in drie delen opgevat, en kort daarna werd ernaar verwezen als *De triptiek van het carnaval*. Ik heb jarenlang rondgelopen met *El desfile del amor*. Op een dag in Praag, waar ik ambassadeur was, heb ik binnen een paar uur de roman in grote lijnen opgezet. Vanaf dat moment heb ik er verscheidene maanden achtereen als een waanzinnige aan geschreven, met een tot dan toe ongekende snelheid. Het was mijn hand die voor me dacht. Sterker nog, de pen vloog over het papier en stuurde mijn bewegingen. Ik staarde verbijsterd naar de elkaar eindeloos opvolgende wijzigingen: de geboorte van nieuwe personages of de verdwijning van andere van wie ik had gemeend dat ze onontbeerlijk waren. En de dingen die ze allemaal zeiden! Het schaamrood zou naar mijn kaken stijgen als ik dat hier op zou schrijven. Het was een misdaadverhaal, met het bijbehorende politieonderzoek, dat zoals gewoonlijk nergens toe leidt. De personages waren mensen met veel aanzien: oude families, vertegenwoordigers van de nieuwe revolutionaire klasse, ook kunstenaars en intellectuelen, een afperser, een mysterieuze Mexicaanse castraat en verscheidene buitenlanders van allerlei slag.

Het speelt zich af in 1942, het jaar waarin Mexico de oorlog verklaarde aan de asmogendheden en de hoofdstad een toren van Babel werd, waar duizenden mensen aankwamen die op de vlucht waren voor de oorlog. Het taalgebruik varieert voortdurend, elke verklaring van een getuige, welke dan ook, wordt onmiddellijk tegengesproken door de anderen; de gesprekken verlopen moeizaam en worden steeds weer onderbroken door allerlei platvloerse opmerkingen. Zowel de woordenstroom als de stiltes die vallen zijn uitingen van eenzelfde neurose. *El desfile del amor* kreeg de Premio Herralde. Vanaf dat moment begon Mexico me te ontdekken. Het handjevol bewonderaars breidde zich heel geleidelijk uit.

Halverwege de jaren tachtig verbleef ik enige tijd in Marienbad om te herstellen van een ziekte. Daar las ik het wonderbaarlijke boek van Machail Bachtin: *De volkscultuur aan het eind van de Middeleeuwen en het begin van de Renaissance.* Elke bladzijde bracht me verlichting. Zijn theorie van het feest vond ik geniaal. Wekenlang heb ik niets anders gedaan dan Bachtin herlezen; daarna ging ik over op het toneelwerk en het proza van Gogol, dat in het licht van de Russische denker een verbazingwekkende glans kreeg. Ik had de eerste aantekeningen van mijn volgende roman, *Domar al la divina garza*, meegenomen naar Marienbad. Gogol speelt een belangrijke rol in het leven van de hoofdpersoon van dit boek. Hoewel in mijn roman de naam van Bachtin en zelfs de titel van zijn boek genoemd wordt, ben ik ervan overtuigd dat daarin de geest van een andere beroemde Slaaf, de Pool Witold Gombrowicz, nog sterker aanwezig is, net als een aantal andere elementen: de Spaanse eenakter, de schelmenroman uit de Gouden Eeuw, de antropologische theorieën van Malinovski, de komedies van Noel Coward; Quevedo, Rabelais, Jarry. Kortom, een aardig aftreksel uit de faustische ketel.

Was *El desfile del amor* een komedie van vergissingen, waarin elk personage boordevol geheimen zat – sommige ernstig, de meeste onbeduidend –, in *Domar a la divina garza* is het nog moeilijker om de identiteit van de personages te doorgronden. Ze verdwijnen soms even snel als ze gekomen zijn, alsof ze aan een bezwering gehoorzamen. De lezer weet niet of het echte romanpersonages zijn of marionetten, louter visioenen, hersenschimmen. Een onaangenaam hoofdpersonage, zo'n enorme zeikerd die je uit de weg gaat als je hem op straat tegenkomt, duikt op in het huis van een gezin waar hij al jaren niet meer welkom is, gedraagt zich als gast en oude vriend (wat hij nooit is geweest) en begint een absurd, grof en bizar verhaal te vertellen dat urenlang duurt en ten slotte even weerzinwekkend wordt als hijzelf. Naarmate het verhaal vordert, verandert het personage, het wordt gecompliceerder, ijler en steeds onbeschofter. In *Domar a la divina garza* wordt zelfs de meest vanzelfsprekende en tastbare werkelijkheid twijfelachtig en ondoorzichtig. De enige zichtbare waarheid in de roman is de humor, al is het ditmaal meer een soort soldatenhumor.

La vida conyugal is het sluitstuk van het drieluik. Het is een metaforisch verhaal over een van de instituten die het meest door de samenleving gesteund worden: het huwelijk. De bedoeling, als er tenminste sprake is van een duidelijk omlijnde bedoeling, was om de verouderde structuur van onze instituten bloot te leggen, de dikke laag gekleurd stucwerk weg te krabben waarmee de zogenaamde notabelen, de mensen van de macht, de werkelijkheid zo maskeren dat het een soort valstrik wordt. Als er al iets is wat op een moraal lijkt, dan is het de Gombrowicziaanse opvatting dat het de taak van de schrijver en de kunstenaar is die façades af te breken om wat eeuwenlang verborgen is gebleven weer tot leven te wekken. Tussen de drie romans bestaat een netwerk van verbindingen, gangenstelsels en communicerende vaten dat hun carnavaleske, kluchtige, bedwelmende en groteske karakter versterkt.

Jacta alea est: de teerling is geworpen. Je bent je niet bewust van het proces dat naar de ouderdom leidt. Maar op een dag kom je zomaar ineens tot de verbijsterende ontdekking dat je de sprong al gemaakt hebt. Als ik de toekomst meet in decennia is de uitkomst huiveringwekkend: met een beetje geluk heb ik er nog twee te gaan. Ik kijk achterom en zie de omvang van mijn oeuvre. Of het nu goed is of slecht, het is een geheel. Ik herken de eenheid en de veranderingen die het heeft ondergaan. Het is een onrustbarend gevoel te weten dat het aan zijn eind gekomen is. Ik vrees dat ik er in de toekomst een welwillende houding tegenover aan zal nemen, dat ik me er zozeer door laat verblinden dat ik de zwakheden en onbeholpenheden met 'trucjes' zal verdoezelen, op dezelfde manier als waarop ik dat voor de badkamerspiegel doe wanneer ik probeer de rimpels te maskeren met mijn grimassen.

Het geluk getrouwd te zijn
5

Nawoord.
De derde melodie
137